W9-DAJ-812

imaginist

想象另一种可能

理
想
国
imaginist

我承认

我不曾历经沧桑

蒋方舟 著

广西师范大学出版社
· 桂林 ·

目　录

记录本身，即已是反抗

审判童年

代序

故人无少年

五年前的冬天，我坐火车来北京，在清华最老的建筑"清华学堂"里接受自主招生的面试。面试从早上持续到中午。出来的时候已经是下午一点，正午仍冷，呼出的白气依稀可见，我却从内往外冒着燥热之气，燥热是因为觉得自己面试得并不好。

高三的我，心甘情愿地把自己洗脑成了一个贫乏而绝望的考试机器，少年成名的骄傲已经全部消失褪去，我残存的全部的内心世界，就是放在课桌左上角不锈钢杯子上贴的励志话语——"吃得苦中苦，方为人上人"。

我往校门外走，每走一步心就往下顿一顿、沉一沉，心想：要是考不上大学怎么办？来不了北京怎么办？完全丧失了写作和思维能力怎么办？校园很大，路长得没有头。

半年之后，我收到录取通知书，在小城市的大酒店摆了酒席，和几十桌我不熟识、以后也许不会再见的人碰杯，听了很多"光宗耀祖"、"前途无量"之类的话。

不久之后，我收到《新周刊》杂志从广州寄来的聘书，聘我为特约记者，之后又成为主笔。我一到茫茫的北京，就有了个投奔的去处。

这一次，我踌躇满志又稳稳当当的。我爸说："有几个年轻人能有你这样的机遇，要珍惜。"

整理自己来北京的几年，整理自己的光阴和作为，才觉得惶恐：不仅没有显示出任何"前途无量"的征兆来，应付琐碎人事的时间多，耐得住寂寞的时间少，甚至愧对"珍惜"两个字。

不知道从什么时候起，大家谈论的内容不再是当下，而更多的是拼凑各种道听途说的消息，传递对风雨欲来的预测与恐惧；于是，不知道从什么时候起，我也开始用宏大的词汇说话，而不再只关心文学及与之相关的；俗世的乐趣，不再是常态，而是暂时逃避的去处。

而现在，写作对我来说越来越困难了。

自己的文章还是以批判为主。批判的对象，则是微博上那个水深火热的社会，新闻里耸人听闻的中国，口口相传的那个恐怖的怪兽。缺乏社会和生活经验，让我只能去想象自己的敌人。

作为批判者的写作者，我陷入了鲁迅那种尴尬的英勇的姿势之中，一方面肩住了黑暗的闸门，另一方面，攻击的对象却缥缈虚妄，自己陷入鬼打墙一样的"无物之阵"。

而我越来越清楚地知道，真相是复杂而多面的。因此，当我写下"中国"、"社会"、"时代"、"人民"之类的词时，变得越来越心虚。

我暂时放弃了对中国的总结，而去观察个体，见微知著。我们每往前活一天，就进一步被遗留在"历史"的坟茔里，总有一日，都成标本。做标本的制作者也是很有意思的，虽然这没有浮夸的语言和意识形态的争论来得吸引人，可不讨巧的笨功夫，也得有人来下。

我和一个同级的建筑系同学聊天——我们高中时候就认识，那时候交流人生理想、江山社稷什么的，也会彼此感动和自我感动，他们理科生把这叫做"有人文情怀"。

前两天再和他聊天，被他一句话触动，他说："这几年，我觉得世界上要改变的事情越来越多，可我越来越明白，自己能改变的只是一小件。"

他能做的，就是造好心目中的好房子，而不是花里胡哨投机取巧，或是和大部分同学一样考入体制内的设计院。

匈牙利作家乔治·康拉德把这叫做"反政治的政治"：精英阶层为自己的权利和与之相伴的些许自由而奋斗，抛弃简鄙的宣传语言，尊重现在，而不是恐惧或梦想明天。

我听到同学这样说，脑海中浮现出贾岛的句子："旧国别多日，故人无少年。"实际上，我从未离开过故国，只是因为自己在长大，坐标在变化，坐标中的中国，也就随之变化着。中国人擅长相忘，我和中国倒是一路相望，不曾相忘。

2012 年 11 月

写于北京

被绑架的一代

我承认我不曾历经沧桑

过早成熟就是十全十美。

——奥斯卡·王尔德

十年前，国庆盛典前的彩排，上万名少先队员在《中国少年先锋队队歌》的乐曲声中，走过天安门广场，放飞了万羽鸽子和彩色的气球。他们欢呼跳跃着，以秋分时节海潮的速度，像液体一样，狂欢着涌入街道，不可控制地渗入城市的所有缝隙。

同一时刻，在偏僻的湖北小城，我所在的小学也在为建国五十周年而排练。上述画面成为我们模仿和赶超的对象，在录像机里播放了不下百遍，以至于我现在都能清晰地回忆起。回忆的画面里还伴随着我的音乐老师愤怒的画外音："你们看看首都小朋友的精神面貌，再看看你们自己的样子。"

音乐老师是 60 年代出生的人，在她的经验里，小学三年级的孩子应该小脸红扑扑、奶声奶气，而不是眼前这批身形高大、怪形怪状的半熟少年。十岁的孩子，已经不愿意穿背带裤，不愿意在发梢绑粉红色的硬绉纱，不愿意用口红在眉心中间点一个大红点。

1999 年，我十岁，乖僻，不恭。鄙夷嘲弄是我的日常食粮和工具，这是属于我们那个年代的流行病，它以惊人的速度在同龄人中间蔓延。面对这种新颖而陌生的症状，所有人都一头雾水，老师和家长失望地总结成"调皮"，那时候的我则羞愧地概括为"堕落"。所谓的教育家哭天喊地地说："救救孩子！"

时隔十年，我再打量那个时候的自己，才知道时代在我身上作用了什么，那是青春期过早地觉醒。

1999 年 12 月 31 日最后一节课打响下课铃，男生们守在教室门口，向走出来的人挨个借零钱，好换游戏币到街上的游戏厅打"拳皇"。当少数几个人或出于慷慨或出于义气借给他们零花钱时，男生们就会温柔地开玩笑："谢谢，下个世纪再还给你。"

新千年到来，一夜之间，街上所有的纯真儿童被一扫而空，收进了 20 世纪的记忆图书典藏版。取而代之的，是一群口袋里的硬币哐当得更为响亮的悠游少年。喧嚣的游戏厅查封、解封，再查封、又解封，最后终于使它最后的拥趸都失去了兴趣，转身进入新开的网吧。

网吧比游戏厅更为风靡，因为格斗是一种竞技体育，任何竞技都有弱者和输家，被格斗致死的人要接受来自一条街的孩子漫长的嘲笑。但是在网吧，没有聒噪的观战者和评论员，而是一场不战而胜的巷战——与空虚的自己、无聊的学校和讨人嫌的家庭沉默对抗，最悲惨的结果也不过是玉石俱焚。

那时候，班里的男生攀比谁在网吧待的时间长，我的同桌是传奇般的无冕之王，他不眠不休的时间超过了人类极限。我上课时不经意地转头，经常会被他妈妈贴在窗户上的脸吓到，她满脸忧愁，急切地用目光在教室里搜寻着她的儿子，发现她儿子不在，就一路号叫着儿子的名字冲出校园。

老师也同情她的无助，有时候会带着同学帮她一起找儿子。下午一点半的宁静，是属于躁动少年的宁静，我们一行人有老有小，在小城的街道一路尖利地喊："×××，你妈喊你回家吃饭！"她找不到儿子，同行的人都在低声安慰，只有我上气不接下气、语无伦次地向她和老师告状："他上网，他才堕落，看特别多不健康的东西。"

我如此积极主动地告密，一半也是因为心虚。那时，我也开始上网，我们家那时候还是拨号上网，速度很慢。所谓"网上冲浪"只是心急火燎地盯半天鼠标的小沙漏。而且上网很贵，每次交电话费都是惊险之旅，我记得有一个下雪天，我和我妈去电信局交了六百五十元网费，我们俩沉默压抑地走着，我妈拿着缴费收据，忽然"扑通"一声跪倒在雪地里，哭喊道："我以后再也不上网了哇！"

这当然是作废的誓言。接下来的日子里，我和我妈还是贪婪又绝望地等待一个个缓慢打开的网页。

我受老师之命，经常在中午待在网吧门口，拦要进去的同学，逮刚出来的学生。让我感兴趣的是那些长时间上网的少年的眼睛：他们推开网吧的门，总会停一下，眯一下眼睛，用一种来自外星球的目光，打量他们生活了多年的现世。

在网络的映衬下，现世是如此平庸不耐烦。每一代人的青春期都是不满的，无条件的不满，无条件发散的恶。青春期的凶猛看起来完全是每个人必经的生理阶段。但是随着新的网络时代到来，我们这一代的青春期已超出了它本身的范围。

网络提供了一个脆弱的高台，更彻底地抽身于现实生活，它提供了一种局外人的目光，教会我们更批判地看待我们成长起来的世界和社会习俗。来自于陌生人的热烈非凡的喝彩和同仇敌忾，教会我们更残忍、更不留情面地撕去老师或父母身上任何虚伪的外衣。

站在岌岌可危的高台上，居高临下地扫视，让我们获得了巨大的满足。盲人的国度里，独眼人就能称王，因为他拥有了自由。

有一位北大的老教授评论我们这一代，说这一代的年轻人很冷，"而且是一种不舒服的冷——缺乏热情，缺乏善意，对待周围的事物，尤其是对待人（可以说是包括自己的亲人在内的一切人），有一种刻骨铭心的冷漠"。他本来想把这一代称为"冷漠的一代"，后来觉得过分了一点，就把它改成"调侃的一代"——"最大的特征，就是自以为把什么都看透了，不相信世上还有真诚的东西，所以对什么都调侃，已经没有敬畏之心了。"

那一年，韩寒出版了《三重门》，像是照明弹爆炸一般，多重效应让死而不僵的教育系统瞬间显形，照亮了青年自我认知的一条崭新的小径，引来了众多亢奋叛逆的追随者。

之后的几年，我也稀里糊涂地参加了许多莫名奇妙的"新"字头活动——"新青年""新生代""新概念"。这一类的活动组织者常常面目模糊、神出鬼没，每次到了我们需要吃饭的时间就消失了。我们只好挤在狭小的宾馆房间里，大声热切地讨论文学艺术，假装忘记了吃饭的生理需求。

每次集会，大家只不过在同一句宣言上反复辗转——"世界是我们的，也是我们的，归根到底，世界还是我们的。"话说完之后，呼告者总要深深吸一口烟，把脸掩盖在烟雾中警觉地打量四周，含有一点警告的意味。世界虽然是我们的，但为了避免冲突，大家还是各走各路隔开距离，公平分据地盘。

当年，我们这些"新"字头的青春作家，既要拉帮结派，又忙着划清界限，最后还是身不由己被合并同类项。我也曾被划到"残酷青春"的流派里，照片被处理成黑白的，印上触目惊心的"疼痛"两个字。我自己倒觉得我从小到大并无坎坷，不觉得有什么愤怒非呐喊不可，有什么委屈非呻吟不可，但是大家都指着自己的伤口雪雪呼痛，我不和一嗓子自己也觉得不好意思。

2004 年，上初中三年级的时候，我那个爱上网的同桌家里出了事故，他的姥姥姥爷死了，他的父母姑舅去奔丧时又出了车祸，只有他的母亲活了下来，受了重伤。这个消息是班主任挨个网吧找，才找到他通知的。

老师为了教育我们，开了一次班会，还专门把他母亲找来。

他的母亲眼睛里插了一根导管，憔悴晦暗。我的同桌站在讲台上，低着头，形容惨淡。那是一场混乱的班会，批斗、忏悔、原宥不断循环。他哭，他的母亲哭，我们也哭。

最后，老师大声问我们："我们该怎么办？一起说——""我们要拯救他！""我们要不要带着他一起走？一起说——""我们要带着他一起走！"

我看着我同桌佝偻的身影，心想：这才是惨绿少年，这才是残酷青春。最残酷的地方，并不是他走了歧路，被荆棘扎得遍体鳞伤，而是经历了这些，他还是要和我们一起走，还是要不分青红皂白地往前冲涌。

那几年里，韩寒、丁俊晖、郎朗纷纷从拥挤冗长的大路中撤出，走上鲜为人知、充满吸引力的小径，大多数少年却没有条件更没有勇气效仿，而是裹挟在青春的洪流中，混在我们这支步伐整齐、歌声嘹亮、大步挺进的队伍里。即使有人心不在焉、三心二意，也迅速湮灭了，恰似一张埋没在海边沙砾里的面孔。

> 我的父亲有一颗钻石，比里茨饭店还要大。
>
> ——斯科特·菲茨杰拉德
>
> 《一颗像里茨饭店那么大的钻石》

我上高中的时候，有一个周末我们班进了小偷，他把同学们散落在桌子上没带回家的杂物洗劫一空。后来经过调查，发觉这次搜刮课桌面盗窃走的物品价值大概超过十万元。

我们班有些有钱的孩子。现在，我才知道这就是所谓的"富二代"。他们的父母如果是原生大亨的话，他们就是从中衍生出来的完美破解升级版，一种新的"文化亚人种"。

上晚自习的时候，他们就坐在教室最后一排，一边打牌一边交换自己的欣喜和忧愁。有时是交换名牌资讯，有时是感叹父母最近的投资失败，有时是豪迈地计划自己当了家族企业接班人后大刀阔斧的改革。

我喜欢听他们的谈话，喜欢听他们随口说出一个恐怖的数字，喜欢他们慵懒而漫不经心地比周末购物所花费的巨款。尽管那些钱和我一点关系也没有，我还是快乐得不知所以。

班里的首富据说家里有十亿资产，因此得名"王十亿"。班里的阔少陪女朋友去买钻戒，指着柜台说："这个、这个不要，其他都包起来。"因此得名"吴钻戒"。

我喜欢向外人热烈地介绍他们的财富，当别人婉转地抬出更富裕的家庭，我甚至会因为感到挫败而不服。

我现在看上一个年代的艺术作品，小说也好，电视剧也好，看那个时候的青春爱情，觉得最有代沟的一点，就是里面的主角在发现自己的另一半隐藏的有钱人身份之后，第一反应往往是异常愤怒，觉得这种财富是对自己的莫大羞辱。

这种心理，符合青春初始状态的设定。年轻人（teenager）这个词是 1941 年才被发明出来，正式被放置到社会主流价值观的对立面上。而年轻人最基本的就是：不怕穷，对财产也没有恭敬心。他们发现（当然是不同程度的觉悟）如果要把未来掌握在自己手里，就得有系统地挑战社会体系和财富体系。

而到了我们这一代，年轻人的心智经历了蜕变，对于不平等的财富，已经能够如此心平气和地接受和认可。有一年刚开学的时候，我经过下一届的教室门口，看到黑板上赫然写着红色粉笔字——"热烈欢迎太子酒店公子×××就读本班！"

当富人进化到2.0版本的时候，我们就已经默认他们是不同的人。他们血液是钞票色的，他们脖子后面印着出厂日期和独一无二的编号表示是限量版的，他们额头上有" "的荧光标志，只有在满月的夜晚才会发光。

他们能轻易地通过某种高频电波辨认出彼此，迅速亲近结盟。这种彼此之间不为人知的默契简直接近动物本能——据说假如雄孔雀失掉了一百五十根羽毛中的五根，挑剔的雌孔雀立刻就能察觉并且远离。

后来我才知道，这种相互辨认的暗号是各类品牌。再后来，我用了半年的时间，知道了我一生中应该知道以及不必知道的所有品牌。

刺激我要开始学习品牌，是下面的一件事儿：有一次我同学从香港订的球鞋到了，快递到班上，从第一排传到最后一排，再传到第一排，大家挨个瞻仰。送到我手上，我轻微地感叹了一句："哇，阿迪达斯！"

球鞋的主人忽然脸色大变，愤怒地吼："你看清楚，是ADICOLOUR W1！是ADICOLOUR！不是ADIDAS！"我吓了一跳，问："有什么差别，至于这样吗？"他更加歇斯底里地挥舞着双臂说："差别大得很！大得很！"

当我开始学习名牌的时候，我才发现品牌教育无处不在。新的一期潮流杂志出版的时候全班传阅着看，会有人立刻打电话订购杂志封底的手机；同学会教你通过需要用放大镜才看得清的差别，辨认属于不同年份的纪念版球鞋；到了家长探望日，我和我的同学就不去食堂，而是端着盒饭，沿着停车场走整整一大圈，一边吃饭一边通过车标和车牌号，估算汽车的价值。

从圆珠笔到汽车，我忽然具备了一种具有穿透力的视觉超能力，能穿透物品直接看到它内侧的 label，以及 "made in somewhere"。这种感觉很奇妙，像是两千度近视的人第一次戴上眼镜，周围原来模糊不清的东西顿时鲜明起来。

校园曾经是最后一个还没被品牌化的边陲，而在上个世纪 90 年代，也被成功攻陷了。在全球化的扁平世界里，logo 是全世界中产阶级青少年共同的语言。

比追随 logo 更崇高的理想是自己成为 logo。大多数人满足于模仿偶像，有些人决定成为偶像。

我有一个高中同学，是个黑瘦、长脸儿、颇有风情的女孩子。她会唱海豚音，是学校的 diva。她是学校里辨识度最高的人，因为全校只有她一个人戴金边大墨镜穿银色高跟鞋。我对她每次去食堂都要凹造型有些不以为然，觉得她真是太形式主义了。

后来，她留给我们嚼口舌的机会越来越少，因为她不常在学校待着，而是参加名目繁多的各种比赛，比如"梦想中国"、"亚洲新人歌手大赛"、"青春丽人江滩行选美大赛"、"军民一家亲军旅歌曲大赛"，等等。奇怪的是，她每次都能在预赛或者地区赛得冠军，但是一进决赛就首先被刷。

我们从来没正式认识过，然而正式分别也已经有两年。我知道她仍在闯荡，在酒吧唱歌期待被挖掘，也一度想参选"红楼梦中人"，到处问别人自己适合演哪个节目，也经常计算自己已经"混"了七八个年头，前面该还有几个年头。

对于她的"搏"，我既希望她早日出头，又会不无阴暗地想——天老爷呐，哪一天不会真叫她搏出位了吧？前几天，我看"名师高徒"节目，看到她唱海豚音时标志性的脸一扫而过，那是曾经的选手的败部复活，几十个选手搏杀一张复活卡。

直到这一刻，我才诚挚真心地祝福她成功，这样至少在屏幕上停留的时间久一点，能让人看得真切一些。

对信仰消费主义的青春，我给予有所保留的尊重。对于把青春本身就当做一件巨大消费品的人，我才是立正敬礼，表达最大程度的敬畏。

世界因变老而日益壮大，未来缩小了。

——埃利亚斯·卡内蒂

高三那一年，老师告诉我们："想要成绩好，就不能交朋友！你们看看有哪个状元是一下课就三五成群地待在一起的？"

他的话，成为我青春期孤僻、行为诡异的启蒙和理论支撑。我的高中同学后来形容我说："每次看到你，你都塞了个破耳机听个破 mp3 在破路上走。"

我每天一个人走路，一个人马不停蹄地吃饭，一个人在学校超市采购。后来，就基本上断绝了和同学正常的言语沟通。也许是因为我老是听着耳机，别人经常滔滔不绝地对我说了一大串话我才意识到，拿下耳机十分无知又无良地问："啊？"于是人们渐渐地就不怎么找我说话了。

于是，我就开始自己给自己写小纸条，老师只是规定要写上每天的学习任务，但是我一写就悲从中来，控制不住自己，中间还插播我编造出来的文学理论、人生哲理、课堂笑话和生活常识，比如"用手轻轻地击打后脑勺可以增进思维"……一张纸正反两面都写不下。

不知道为什么，每次自习或者考试，我在做题的空隙抬头，看到无数埋得低低的头和突出的肩胛骨，总会有一阵莫名的悲愤的眩晕，有时候甚至突然气得两眼泛红，我也不知道是什么感受，只是觉得简直太没天理了。

学校规定晚上 11 点熄灯，大多数人为了熬夜在学校外面租房子住，而我没有租房的条件，只能偷偷开着应急灯学习。学到凌晨 3 点钟，我经常会拎着应急灯在寝室楼里走来走去，一方面是睡不着，另一方面是想偷窥其他人的勤奋程度。2007 年武汉的冬天前所未有的冷，我在寂静的走廊里逛来逛去，冻得瞬间没有知觉，隔了好久才有一阵通体导电般的刺痛。

凌晨 3 点钟，很多寝室还都透出光来，他们还在学习，学习。学习是不妥协的、严厉的。必须学习，不惜一切代价，而且没有幻想。学习一切，以及它的对立物。文言文宾语从句、斯堪的纳维亚半岛博斯普鲁斯海峡、苏联解体的表面原因直接原因间接原因历史原因根本原因……

在应急灯的照耀下，对面的墙上被投射出一个个巨大的黑的弯曲的侧影。

那一年留给我的最大印象就是饿，每时每刻都在觅食。上晚自习的时候，要是听见细微的撕开食品包装袋的声音，全班就会立刻万籁俱寂，所有人伸脖顾盼，看看是谁有了吃食。

我记得那个时候坐在我前面的男生有个保姆，每天傍晚给他送晚饭，有时饭菜不好吃，他只吃两口就晾在桌子上，菜香飘过来，我馋得全身阵阵虚脱。

这种"饿"多半还是心理上的。高三一年每天都处于恐惧忐忑之中，无论吃了多少东西，心里还是空落落的。在没有任何娱乐可能性的环境中，吃就成了唯一的消遣，考好了就大吃，考不好就狂吃。

所有的压抑和窒息都自己吞咽消化。面对庞大的审核关卡，人没有个人价值，只有整体价值。他的价值混在没有意识的人群之中，只是一个永恒不变的纯粹分数，取决于他身上增加了多少驯服温顺的成分。

在那一年，唯一动摇了高考绝对权威的事情，就是5·12汶川地震。地震发生之后，我们不被允许看地震的图片、录像还有新闻，害怕心情受影响。那时，老师每隔一段时间就会把热点新闻和感人短文作为高考作文素材印发给我们，这长达五六页的材料，几乎就成了我们获知地震新闻的唯一途径。高三的我们仿佛被硕大无朋的箱子关住，只能从砰砰的敲击声大概猜测发生了什么。

同学违背老师的要求，买了很多报道地震的报纸和杂志，上课压在课本底下看，下课传给同学看。仔细看过的同学，总是要恍惚片刻，慢慢才恢复过来，但是却永远无法彻底恢复。那是一种恐怖，你可以暂时忘记它，被解析几何、模考排名、录取资讯吸引过去，但是你总会回到那里，又让这种恐怖和悲悯成为所有思考的中轴线，因为它从未离开过我们，它是良知的经纬线。

2008 年，青春的小起伏和国家大喜大悲的波动频率重叠交融，难舍难分。回想这近十年的青春，尽管有几多乏味与苍白，不能像聂鲁达一样说"我承认我历经沧桑"，但至少有这个难以忘怀的尾巴，让这段"也无风雨也无晴"的承平岁月不至于太过相形见绌。

2009 年，遭遇了经济危机，不知道又有多少人的青春会因此缩一点水，短一点斤两，打一点折扣，在严峻现实逼迫的注视下，青春的不切实际好像有点太过奢侈了。

我想起鲁文·达里奥讲过一个寓言，故事说的是伊甸园里，有一株最美丽的玫瑰，有一天魔鬼对她说："你的确很美，不过……你没用。你看看对生灵有所贡献的大树，玫瑰啊，美丽是不够的……"

于是玫瑰——像夏娃一样受了诱惑——一心想变得有用。她去请求上帝："您能把我变得有用吗？"

上帝回答道："如你所愿，我的孩子。"

就这样，世界上有了第一颗卷心菜。

青春这个大园子，有点美丽，有点诱惑，有点危险，就是没有用。但若是全拔了无用的劳什子，改种饱腹的卷心菜，伊甸园变成菜园子，未免也太可惜了。

2009 年 9 月

附记：

这篇文章是为《新周刊》的建国 50 年特刊《青春——从新中国到新新中国六代人的青春影像》所作。那期刊物，邀请了王蒙书写 50 年代的青春、陈丹青写 70 年代的青春等，我所代表的是 1999—2009 年代的青春。

比较各个年代的青春，最有意思的是，我们这一代的青春，是没有什么共同记忆的。50 年代有激情岁月，60 年代有饥馑动乱，70 年代有上山下乡，80 年代有思想激荡……到新千年，我试图提炼一代人的共同情感，却发现青春只是散落凌乱的个人记忆。

这篇文章发表几个月后，在一节心理学的选修课上，我的老师把这篇文章作为课后的阅读材料发给我和同学们阅读。大概不是因为写得多好，而是系统总结这一代人心理状态的文章太少吧。

我为什么不敢"留点余地"

有这么一个残忍的故事。

日本有个长跑选手叫做圆谷幸吉，他童年和少年时就跑遍了自己家乡所有的道路，1964年，当日本主办奥运会的时候，圆谷幸吉被选作国家队的选手，参加马拉松比赛。

训练的日子里，他每天清晨喝一杯茶就出门跑步。他跑遍了各种地形、各种天气、各种白天和黑夜。在他的脑海里，他排练了千万次加速、冲刺、夺冠的过程，每次想想就令他更兴奋。

比赛当天的早晨，他照例平静地喝了一杯茶出门比赛，他像已经多次完美做过的那样冲出去。他的双腿受过最严苛的训练，其他的选手非常难跟上这个人形火车头的节奏，半程过后，他的胜利已经非常明显。可是不知不觉地，一个叫阿比比·比基拉的人加快了频率和步伐，在距离体育场三公里的地方超越了圆谷，最后一百米的时候，圆谷幸吉看到另一个对手超越了自己。他想加快速度，进行过严格编制设定的心脏、肌肉、骨头却拒绝了额外的任务。

　　圆谷幸吉只得了第三名，他向所有国民鞠躬道歉，保证在下一次墨西哥城奥运会上雪耻。决赛后的第二天，圆谷早晨喝了一杯茶，平静地做了准备活动，穿上了跑鞋，再次出发。他跑在无数次借用的场地上，跑过一个个季节，仿佛不知疲倦。但是不知不觉地，他跑的距离越来越短，他越来越面无表情，每一天都在盗窃他的力量，每一步都在加重他灵魂的负担。

　　终于有一天早上，圆谷幸吉没有从他家出来，第二天没有，之后也没有。整个街区几乎没有人注意到这个变化。后来，圆谷幸吉的家被人撬开，他的运动服仔细地叠好放在地上，我们的长跑运动员倒在自己的马拉松鞋旁边。他用刮胡刀片切开了自己的颈动脉，刀片还在手上，在他的桌子上，放着他的遗书：

　　"父亲、母亲大人：在这三天吃的山药很好吃，柿饼、糯米糕也非常好吃。敏雄哥哥、嫂子：你们的寿司很好吃。岩哥和嫂子：你们的紫苏饭和南蛮咸菜好吃极了。喜久造哥哥、嫂子：你们带来的葡萄汁和养命酒非常好喝，我还要感谢你们经常为我洗洗涮涮……"

　　圆谷的确是那么美好而诚实，哀动人心。圆谷幸吉的遗书却是我看过最真诚动人的，他记叙的全是对父母哥嫂小恩小惠的感谢，一字一句全是缠绵，全是对俗世絮絮叨叨的留恋。最后，他还是决绝地逼自己做出挥别的手势，圆谷幸吉在遗书里写道：

　　"我累了，再也跑不动了。"

这是个悲剧故事，却也是个关于勇气的故事。我喜欢它的收梢。我希望自己有朝一日也能勇敢地朝内心喊话——"我再也跑不动。"

不想再跑了，虽然路不长，不过是从摇篮到坟墓这段短短的路程。除开道路本身，我们没有其他的目的地，我们除了老在途中，也没有什么其他选择。所以，是走还是停，是快还是慢，是我们仅剩的能够决定的事情。

一直以来，我最羡慕的都是这段路上的慢行者，静止的人——无事此静坐，一日当两日。坐对一丛花，眸子炯如虎。换言之，做一个自由的人，心不为形役，形也不为心役，坐拥一整块无人的疆域。

然而，我属于这一代人，在最惨厉的优胜劣汰的社会系统中成长的一代。从幼儿园玩抢凳子的游戏开始，我们就深吸一口气铆足了劲，随时准备推开旁边的人，从小到大，我们只知道一件事：社会只分输家赢家，而没有弃权家。

这个社会已无旁观者，已无局外人，悠闲静坐的人要么被消灭，要么站起身来做出起跑的姿态。这个社会制定了新的游戏规则，更严格的游戏规则，不再允许有人弃权，有人拒不起跑。

也就是那时，我发现自己也步入了圆谷幸吉的跑道，永远跑在自我训练的途中，永远跑在全是对手的竞争里。

于是，没有余地。

为什么要留余地？或者，用更年轻的姿态来重述这句话——凭什么要留余地？

因为啊因为，余地是生存之余仅剩的奢侈品。

如果人生是圆谷幸吉的奥运赛场的话，余地就是跑在前面的人与跑在后面的人之间的那段差距，且全归前者享有，也许有几公里——这几公里的余地，让前者可以东张西望看看人世苦乐和人的内心情调，可以走神想想美术音乐政治这些不切实际的事，可以岔路到旁边花园的小径去摘好些美丽无用的花；也许只有几米——那也足够稍微喘息歇气，短暂补充漫长机械运动带来的心灵饥饿。

但是这余地却不取决于自己的计划和选择，而全取决于这变动的距离。当后面的人像阿比比·比基拉一样逐渐追赶上来，差距减小，前面的人的余地也就越来越狭窄，直到被后面的人追上来，余地变为负数，成为负债，心灵变成一块还不起房贷的住所。

余地那么奢侈，那么奢侈，奢侈得让人争先恐后地抢占。可是，它也那么无用，无用得让人争先恐后地消灭。这个余地指的是你内心的闲置土地，一个白日梦，一个明知走不通却仍要走的小径，一个青春专属的低级错误，一段除了回忆什么也增加不了的轻狂，一切不能被称为"资本"的东西，一切不能使你加速而获胜的东西，这些都是内心的闲置土地——它们变得无用，甚至是个负担，必须自行销毁，越早越好。

为什么？因为已容不下，那一块你偷偷攒下的土地，地上曾插着的绣有你名字标识所有权的小旗子已被拔掉，换上"违章建筑"的标识。转瞬之间，即被强拆；再转瞬，已盖上其他选手的厂房。

凭什么要留余地？这一代精明的年轻人已不会再做这样的蠢事，你闲置的空地就是别人的建筑用地，你的余地就是别人的生存空间。世上哪有这么不划算的买卖？

　　从前英国诗人史蒂文森有句诗说："财富我不要，希望、爱情、知己的朋友，我也不要，我所要的只是上面的青天同脚下的道路。"现在的人恐怕不会尾随，只会说："那你不要的都给我吧。"

　　所以，我说自己不敢"留点余地"，这话恐怕也可笑，因为哪里轮得到我决定？我刚刚看到了一篇报道，讲的是北京 CBD 东扩，二十余处艺术园区在内的各类旧有建筑，在未来三年内，会被一座"朝阳新城"取代。艺术家们正在艰苦地呼吁，艰苦地维权，微弱地呼唤："留点余地！"

　　难道是真的再悲哀不过的宿命？所有的余地都会变成跑道，参赛选手越来越多，无数个圆谷幸吉正在进入赛道。

　　这轮赛跑的确会有名次，有奖励，但是永远不会有终点。这轮赛跑有领先的人，但是不会有获胜的人。别忘了，所有的人都是圆谷幸吉，只不过是不同赛程中的他。所谓"成功者"只是还未被超过的圆谷幸吉，"精英"和"领袖"是赛完一场尚属优秀的圆谷幸吉，失败者 losers 是不再有动力、也没有夺冠的希望，却必须靠着惯性和压力不断向前摆动双腿的人。

　　我不敢给自己留点余地，我甚至不敢小声再小声地对自己说："我累了，我不想再继续跑了。"

2010 年 2 月

附记：

这篇文章是为《SOHO 小报》所写的命题作文，那期的主题叫做《留点余地》。当时的我仍在大学带给我的震荡当中，这种震荡来自：我觉得自己是要被社会淘汰的一类人。

在学校的，无论毕业的，还是没毕业的，只有两类人：Winner 和 Loser。这是成功学的社会氛围下最简单粗暴的产物。"这点收入在北京怎么活啊？"Winner 总是这样问 Loser。

如今毕业一年了，成功学也在解构。"Loser"有了一个新的称呼，叫"屌丝"，"屌丝"听起来没有那么尖锐刺耳，有点自嘲，有点精神胜利法，有点自甘落后。

世界变了么？其实并没有。社会看起来是仇富的，但仇富的本质是仇穷，权利和钱仍是仅有的被认可的追逐目标。身为屌丝，向往的仍然是逆袭的故事。

三十未立，二十而蹲

我认识这样一个长辈，长得德高望重，和年轻人聊天的时候更是高深莫测到令人发毛，前辈总是点一根烟把面目隐在烟雾中，眼睛斜着半开半闭。可想而知，坐在对面的人是多么的惶恐啊。小年轻们前倾着身体哇啦哇啦说个不停，简直要掏尽平生所学。若是讨好成功，这长辈就会沉吟良久，过了好半天才给出终极褒奖——"我觉得你不像个80后。"

这是从他那里能得到的最高评价，妙就妙在这个句子是个半开放的命题，所有人都能自行意淫出后半句——"我觉得你不像个80后，你这么有见识！""我觉得你不像个80后，你这么理想主义浪漫情操！""我觉得你不像个80后，你这么天下兴亡为己任，出类拔萃百兽震惶！"

这个夸奖让所有被搜出80后团体的年轻人脚踩云端，得意四顾。我获此美誉，立刻骄矜又谄媚地连连点头："确实确实，大家都这么说，80后，啧啧，哼哼……"这个万能百搭又高端的夸奖，甚至被我立刻现学现卖，转脸儿就德高望重地当做重礼转赠90后："我觉得你简直不像个90后。"

后来和这位长辈接触多了，发现他逢人就夸对方不像80后，心下有些疑惑：80后成了一个神秘的地下组织，江湖上流传着它的传说，可谁都没见过，见迎面走来疑犯就只能仔细端倪辨认半天，才像海关安检一样挥手大赦："这个不是。"

我1989年出生，年龄尴尬，代际模糊。只能写写我周围人的成长群像。

我高中之前一直待在湖北的一个二线城市，鸡犬相闻，和所有的同学都有着千丝万缕的世交关系。小时候大家都差不多，这几年我再回家，就觉得大家已经不太一样了。我的小学初中同学大都没离开过这小城，也再难离开。我们大多数都是铁路系统的子弟，他们的未来大抵也都拴在铁路上，他们所有的恐惧和自尊，和区区所有也都勾勾连连地捆绑在铁路制服里，从父辈的手上接过，在适当的时候传给下一代。这就是所有终极神话的壁画：一小块地，四壁之房，悬挂的铁黑色制服。

我假期回去和我小时候的同学聚会，他们中比较幸运、有背景有关系的一部分人已经工作了，谈到将来就是骂骂咧咧。我只能讪讪地劝他们知足为乐，先别考虑这么现实的问题，还是抓紧时间享受青春。我的同学给我很怪异而无言的眼神，我才觉得自己的虚伪，他们青春仅存的遗物只是戏谑冷笑的面孔，而内心已自视为泥土，早就把身体平摊成一块让人踩踏的土地。

我高中上的是所谓贵族高中，按一些老人家的说法是"自私狭隘消费主义"，按另一些不太老的人家的说法是"个性飞扬张扬自我"。他们从高中起就在研究围巾的101种系法，研究韩国人，而现在则研究美国的贝弗利山庄。有时候和他们聊天，当QQ表情用完的时候就是我们词穷的时候，他们对人的形容词贫乏到只有"范儿"这么一个音节。当然，也不是都没有文化，也有的是文艺女青年——口头禅是"我还是个孩子""瘦不到80斤去死"。

有时候稍微聊到一些国事，我的同学会稍微有点埋怨："你干嘛要聊这些不开心的事呢？"然后，又申辩自己并不是完全莫谈国事，自称一只草泥马，笑骂几句亚克西。

如果说我小学和初中的同学几乎没有过青春，那我高中的同学就一路撒丫子年轻，在青春的跑道上跑了一圈一圈又一圈，跑完一轮另起一行从头再来，逃避着终将成熟这件事，拒绝进入更大的跑道。

我的大学同学，他们是心智生产和恶斗程序的胜出者，是教育的脑力工厂量产的产物，是即将同"板结社会"搏杀的新参赛选手。

我周围有同学从大一就开始看房价，每天一起床就像华尔街的巨头一样研究报纸，看房价走势，计算将来工作之后，日薪甚至时薪是多少，才能供得起一所房子。他四处展示算出来的骇然惨烈的数字，吓哭了许多人。

更多的同学没有那么胆小，他们是蚁族里也要争当蚁王的一群人。努力，上进，参加各种竞选，永争各种名额，推七搡八，抢来各种大大小小的粮食，屯在自己目之所及的地方，看管好，当做资本——后来我才知道这个过程原来叫"奋斗"。

这就是奋斗？我们只能笑道："好吧，这也算奋斗。"自然不能同五四相比了，从五四以来，几乎每个世代的成人礼，都是由时代完成的：天地玄黄，时代巨变，少年人或是被一把丢入，或是主动勇闯成年人的世界——一个凶残野蛮的世界，一个满是巨灵邪灵和国家机器的世界。

而如今，也许是史无前例的，稳定盛世下，没有时代替年轻人完成成人礼。三十而立，立的也不过是安身立命的立；全副武装，对抗的不过是不断攀升的房价走势。

古人说三十而立，说明三十岁已经是很关键决绝的岁数了。三十岁，已经决定了后半生定格的形态。不知道是不是因为古人寿命短，所以生命周期都压缩加速，反正我周围的 80 后，都仍保持着"二十而蹲"的姿势，他们将立未立，下一个动作还暧昧未卜，不知道会昂然地顶天立地，还是会扑通一声跪倒在地。

2010 年 5 月

附记：

这篇文章是约稿。

那些参选人大代表的大学生

小金的名字很特别，搜遍整个中文网络，没有同名同姓的人，因此他的父母养成了一个习惯，每隔两三天就会在网上搜索他的名字。父母的心态是出于担惊受怕，生怕他又捣鼓出什么让人不放心的东西来。

小金要参选人大代表的事，就是父母搜索的时候发现的。他们发现了他在网上发的一篇竞选宣言。

他把竞选宣言发表在人人网上，还在读大学的他，文章成熟而不失慷慨：

> 在今天这个社会戾气已经高度发酵，"改革已死"的绝望情绪已经开始在许多人心中蔓延的时候，我们为什么还要参选人大代表？
>
> 因为我们别无选择，因为我们责无旁贷。

有人说，你们参选人大代表能改变什么？我说，我们改变的是人心。

今天，我们并不求当选，我们求的是表达。我们不求能成为剧院里的主角，但是至少要做一个成功的小丑。

……

是的，我相信我们会遇到困难和阻碍，但是我相信我们也一定会收获更多的鲜花和掌声。我们没有理由悲观，也没有资格悲观，我们只能义无反顾。

文章被阅读了将近三千次，分享了一千两百多次。留言的都是同龄大学生们，一半是说："加油！""这个要顶！"剩下的，又有一半是泼些善意的冷水，说他做梦，说近代史上未有选票里出政权的先河。

小金是这所重点大学里不大安定的学生，常上推特，熟悉党史，看书写作常常宏大叙事援引民国纪事，早早脱离了喊打喊杀的初级愤青阶段。他频繁地在人人网上发表日志，成为某些大学生群体中的意见领袖。今年年中开始，他觉得文章救国的时代已经过去了，不满足于发写檄文，而到了开始行动的时候。今年5月份，江西新余女工刘萍参选人大代表的事情引起波澜，他和几个二十出头的年轻人一起，组成了"公民观察团"去围观，他们被扣留了几天之后，被礼貌地送出境，像对待离家出走的小孩一样。

已经尝过无功而返的小金，当然不会被同学的这些冷水打消念头。今年虽然因为微博上出现了很多自荐的独立竞选人，让人大代表选举变得异常热闹，许多媒体称为"中国公民选举元年"，连围观者都被感染，有"时间开始了"的激动，但小金非常清楚，这种开辟鸿蒙的激动只是假象。

是记忆撒了谎，八年前的人大选举，人们热情同样高涨，当时，清华大三本科生就在 BBS 上发表竞选宣言：

> 我们仍然在路上 / 历史是个不动声色的看客，它总是步履匆匆，从不为某个人驻足留恋 / 人类政治文明的步伐，一刻也没有休停，它谁也不等，也在不断地往前走…… / 我们仍然在路上 / 我们的选举正走向日益宽阔的光明之途 / 让我们的代表传递选民们的意志 / 我们仍然在路上……

那一年，据不完全统计，北京高校已经有七名学生宣布将参加海淀区人大代表的竞选。

前人摇鼓张旗，可也没走多远，小金几乎是向着已知的失败前行，但是他非常愿意尝试。他说："中国的选举制度，决定了大学生是最适合参选的群体。"

大学生参选人大代表有两个优势。第一是对网络的运用。美国甚至台湾的竞选广告总是深入人心，而广告的宣传作用在实际竞选过程中，对票数也是很有效的。

但是在大陆的选举中，即使在网络上发布一些视频，在马路上贴一些海报，面对的也不一定是你选区的选民，所以宣传几乎是失效的。

可是，大学生有联系同学情感的人人网，也有校内BBS，消息在一个相对封闭的空间内传播很快，分享和讨论很快就扩散开来，竞选的大学生和他的选民之间的关系简直像直接面对面的。所以竞选的宣传很容易就能见效。

第二个优势，是容易直接拉票。居民选举，可以在单位登记，也可以在户口所在地登记。为了图省事，大部分人都选择在单位登记。

拉票拜票的参选人，有的想直接和选民交流，在小区挨个敲住户的门，要么被轰出去，好不容易敲开了，住户们往往也不属于一个单位，不是自己的选民。

而在大学，这种"扫楼"则容易起效。竞选人或者他的团队，可以挨个去敲宿舍门，或是闯进自习的教室，普及自己的竞选纲领，赢得支持和签名，如草船借箭。

这种"扫楼"拉票的方式，像学生会主席的选举，更像是社团在学期伊始的招新。

大学生竞选的好处是封闭，坏处也是封闭，任何一点动静都会被迅速放大，星星之火，可以燎到教导处。小金被学校规劝，几乎同时，他的父母也被他要参选的事情吓着了，极力阻止。

在宣告参选后不久，小金写下保证书：

"我承诺不谋求以群众联名推荐方式成为候选人，参加海淀区人大代表选举。"

小金措辞微妙，有暗藏的潜台词，不知道保证书那头的人看出没有，他狡黠地暗示：他只保证自己不去撺掇和拉票，如果有其他人推荐他参选，帮他谋划，那选举之路还是可以重新再来。

广东的小叶也参选。他还是个大学生，给自己的标签是"行动主义公民"。

8月初，他开始征集联合推荐表上的签名，很快就征集到了一千个签名。小叶同学在接受广州记者陈思乐采访时说："我收集的一千个签名，问五十个人，可能会有一个人不支持；有三分之一可能会觉得这个事情意义不是很大，但可以去尝试；有三分之一就觉得这个事情意义很大，但是你根本不可能成功……同学会觉得，无论如何都是一个学校的，那就支持一下吧。"

何兆武先生在《上学记》中也提到，从小学到大学，学生的政治倾向定量分析大概是这样：大约有十分之一的人是非常积极的，他们是"专业户"，政治运动活动家，国民党称他们为"职业学生"；大概有十分之一二的同学是积极拥护的；有一半左右的同学基本赞成，是跟着走的；有十分之一是专门念书；还有十分之一是反对的。——那是在解放前，看起来和现在也没有太大的变化。

小叶能够获得如此多的选票，大概和他纲领务实、贴合同学们的实际有关。

他通过前期的调查，提出的参选纲领包括：更新和及时维修图书馆的电脑，让校河更清澈，加强对自行车和宿舍物品的安保工作，改善食堂饭菜的质量，等等。

这些听起来像是学校后勤职工大会的会议精神和指示，也像竞选班干部时临时攒的竞选词。尽管没有涉及什么意识形态的大是大非，学校还是非常警觉，几次约谈，最后候选人名单里也没有他。

小叶最后还是走完了程序，以正式竞选人之外"另选他人"的形式继续参选，最后得了八百多票，虽然票数不够落选了，但已经是今年参选的大学生中获得最多票数的人了。

小叶虽然落选，可还是一直关注着选举。他发现，在广州的选举中，不少高校学生把票投给了Laughing哥（港剧《学警狙击》中的角色）、路飞（动画《海贼王》里的主角），广州大学甚至因为投给Laughing哥的票太多，导致重选。

小叶不愿意归咎为大学生的玩世不恭和政治冷漠，而宁愿视其为无声的抗议，他说："根本不了解候选人，叫我们怎么投票呢？与其被玩弄，不如玩弄之，或许是很多学生的想法。"

湖北的小吴一直在直播着自己的参选过程。

小吴是看到微博上很多独立候选人参选，热血沸腾，看到他们遭受限制和责难，又愤慨忧心。他觉得这条路走得这么艰难，是因为走的人太少，于是决定同行。

决定参选的时候，小吴很坚定兴奋，可却莽莽撞撞懵懵懂懂，不知道去找校方的什么机构拿十人联名推荐的表，不知道怎么去征集联名，不知道怎么印制海报，甚至不知道该怎么在海报上介绍自己。

他参选的时候离正式选举已经不到一个月了，他在很短的时间内学习，从索要推荐表，到教学楼前发海报拉选票。他在终于获得微小的成功和胜利的时候，在一个下午收到同学的短信，短信说："切！我才不要支持你，你以为你是学生就能代表我们学生么？太片面啦！对于你一时兴起好玩的行为，我是无视的，我相信大部分人都会一笑而过啦。你不能引起大家的共鸣哦。哼！"

小吴回对方："参选二十多天来的麻烦、压力和焦虑你不会懂。不支持可以，请不要说我在玩。"

意料之中地，小吴没有出现在正式候选人的名单上，他也和小叶一样，以正式竞选人之外"另选他人"的形式继续参选。

投票那天，他一直待在现场，他郑重写下自己的名字，在敷衍混乱的场面中庄严得有点可笑。其他同学们玩笑打闹，没什么人当回事，大多数人随意画了一下就走。

投票过程匆匆结束，小吴看着票箱被抱走，只觉得这种混乱是对自己的嘲讽。一切努力和崇高在玩笑中结束了，他说自己特想大哭一场。

小吴自然没有当选，他知道选举结果之后，写了一篇博客，不再说公民社会，不再说"走的人多了，就有了路"，而是说要回归自己的生活，有能力就帮助他人，没能力就把自己的学习和生活过好，就够了。文章最后一句话写："平静地看待生活，平常心看待这个激扬的年代。"

参加人大选举的大学生们，故乡仿佛都在 80 年代。他们总是会说起 1980 年北京高校人大选举的盛况，学生们生生凭空搭出公共空间来，人人有讲台，三角地天天有演说。

可小金又说，也不该怪现在的大学生们政治冷漠，比较两个年代大学生的生活就知道，现在有看不完的剧、刷不完的屏，怎么会去想那些和自己不相干的事。也许他们长大了，进入社会了，碰壁了，才会不一样一些。

而参选的大学生们，是自认为先觉醒的一批吧，所以会有叫不醒其他人的无力。小金说，很多年之后也许可以写一篇许知远体的回忆文章，叫做《那些参选人大代表的忧伤的年轻人》。

2011 年 9 月

附记：

这篇文章中的主角都已经毕业了。

小金读的是新闻系，如今他在媒体工作。小叶在报社工作，有时在微博上感慨："近一年的社会经验，反而越是消沉。时间久了，理想的镜子起灰，需要多擦拭。"

他们大概没有以自己期待的方式改变世界，但还在非常努力地让自己不被世界改变。

中产阶级的孩子

他不喜欢被称为"富二代",因为他认为自己并不是。他说:"假期我回了一趟老家,看到我的一些小学同学都成了真正的公子哥,偶像剧里面那种:比名牌,开跑车,脑袋里不装其他的事情。"

我想到几个月前看到的新闻:一个在北京演艺学校进修的大连富二代,飙车被交警拦住,跋扈的富二代不服交警的指挥,叫来父亲和父亲的保镖,把交警活活打死。这事如同其他骇人听闻的社会新闻一样,引起一阵激愤和讨伐之后就被迅速遗忘,并没有点燃什么东西。人心像是早就被烤成了灰烬,用手一捻,不过是多了一层灰。

他说,如果肇事者是他从小一起长大的发小之一,他一点也不会吃惊。

然而,他却和他们不一样,从小就不一样——虽然他的父亲也同样富有。他从小成绩好、有主见、早熟,表面懂事乖巧,内心冷眼愤世，考上了全国最好的大学，成为父亲向朋友们吹嘘的对象。他叫小文。

他把自己的与众不同归结为曲折的童年。这是一个有中国特色的中产阶级家庭奋斗史的故事：他的父亲90年代下海，和母亲一起从一穷二白开始奋斗，经历了各种磨难和考验，在事业有起色的时候离婚。父亲有了新的妻子，又有了两个孩子。

他的童年一直和母亲生活在一起，学会了每天怎样在责备与怨念的夹缝中生存，学会了怎样察言观色，学会了怎样讨人喜欢。长大后，他反而和父亲的关系更近一些，他发现自己和父亲越来越像了，一些生意人特有的精明、狡黠和专断渐渐在自己身上浮现出来。对于他父亲"中国式成功"的行为方式，他也越来越认可了。

这不啻为一件奇怪的事。在文学作品里也好，真实的历史中也好，中产阶级的孩子似乎一直站在他们父母的对立面。

我最早是看杨沫的《青春之歌》，看"小资产阶级知识分子"林道静如何走上革命道路，成为无产阶级战士。看她离家出走，看她慷慨以慷，看她如何把家庭内部矛盾变成大是大非的阶级矛盾。

后来看了些关于"文革"的史料，印象最深的情节，也是那些如火种般热情的红小兵，如何发自内心地以自己小资的父母为耻，认定他们是腐朽的，认定他们是错的。

最浪漫的反抗，当然是西方60年代年轻人的狂欢。1968年的法国，大学生们走上街头，喊口号、狂欢、静坐、游行。有史以来头一遭，革命不只是揭竿而起为了面包，还为了蔷薇与玫瑰。

——甚至也不是为了蔷薇与玫瑰，只是为了让世界颠倒个儿，能重新再来。

或许在八九十年代，我们还听说过纯粹因为理念不合，而与富裕家庭决裂的年轻人的故事。

当然，这些中产阶级的孩子最后还是会与他们的父辈握手言和、言归于好，重新继承他们留下的遗产和人生轨迹。可在人生中的一小段时间里，他们曾经真诚地反对自己的父辈及其建立起来的规则。

大多数人都会推测出：是受教育的原因吧。富裕的家庭把他们的孩子送入最好的大学，去接受最好的教育。那时候的教育——在传说中——是资本与商业的敌人，是古典主义和左派的天堂。父母把培养后代的责任，托付给了自己的敌人，当然会培养出反叛的孩子来。

而现在的大学和社会早已没有区别，标准一致，规则一致，早就失去了培养弑父者的土壤。

可小文不是一个顺从者，几乎从上大学的第一天起，他就发觉自己和周围同学的不一样。那还是在军训，当其他同学还沉浸在名校的荣耀里，心甘情愿地接受"服从"和"集体荣誉感"的洗脑时，他逃早操、躲唱军歌，拒绝一切集体美学的东西。

小文的宿舍里住着系里成绩第一名的同学。那人每天很早起床，去图书馆占座位自习，很晚才回来，选修课程是按照老师打分的慷慨情况，自己不感兴趣的课程也上得很起劲，唯一允许自己的娱乐活动是在网上下一盘三国杀。

小文不认同那样的人生，他觉得中规中矩就是失败。一步步虽然走得踏实，但那是多么无聊又庸常的人生，以后仅仅是一个安逸富足的"中国式精英"。

他的宿舍里还住着一个又红又专的优秀党员，他们经常就意识形态的问题辩论。在政治谱系里，小文觉得自己和这个倡导主流的学校格格不入，他是反动的。

小文觉得自己属于学校里最"反动"的那一拨，最不满的那一拨，最叛逆和愤青的那一拨。

这种愤青并不因为他家庭获得的财富而终止，甚至在某种程度上是正比的关系。

在程巍写的《中产阶级的孩子》里，他引用了伯克利1965年大学生的抽样统计，发现大学生的家庭收入大体和其革命性呈正比例关系。如果把年收入2.5万元以上的家庭定为"上层"，0.5万元以下的家庭定为"下层"，把介于0.5万元到2.5万元之间的家庭定为"中层"，可以看出，最具革命性的是家庭年收入在2.5万元以上的上层，占示威学生总人数比例的16%。而所谓"下层"学生，在示威学生中仅占8%。

从这个数据可以看出，新时代的愤怒早就不是陈胜吴广式的，也不是去索要什么，而是来自更深层的东西。

低层的年轻人，对造反表现出了很大程度的冷漠，因为他们对体制信任、感激。"知识改变命运"给了他们希望和许诺，还有各种助学金和奖学金的帮助与扶持，因此没有理由不信赖和服从。

小文却和他们不一样，名校给他的关于光明未来、关于"中国精英"的许诺，他并不稀罕。

小文的父亲给他许诺了另一个未来：出国移民。

他之前还有些犹豫，把移民的身份当做最后的保障。他一直觉得中国才是自己将要一直为之苦闷奋斗的地方。上个月，小文和全家去加拿大待了半个月。

他形容自己刚从加拿大回到北京的瞬间，感受到的只有污秽和胸闷。他抱怨自己在加拿大的时候狂吃猛塞也没有变胖，因为吃得干净。回北京之后短短时间就开始发胖，都是因为食品不健康、不安全。

他家在加拿大北部买了一千万的别墅。那是在一个傍晚，小文在自家的院子里喝着啤酒，第一次觉得自己不想再回到中国，下定决心要在加拿大四年内待满三年，以获得加国国籍。

小文并不觉得这种想法有什么值得羞耻的。《论语》里，孔子也说："危邦不入，乱邦不居。天下有道则见，无道则隐。邦有道，贫且贱焉，耻也。邦无道，富且贵焉，耻也。"

霍桑的《红字》里说："倘若世世代代都在同一处不再肥沃的土地上反复扎根，人性就会像马铃薯种在这片土地般无法繁茂茁壮。我的孩子们已经诞生在他处，即便我能力所及，掌控得了他们的命运，他们也将在不适之地扎根。"

今年 4 月的一份报告里说，2010 年中国可投资资产 1000 万元人民币以上的人口有 50 万，其中 60% 的人已经完成投资移民或有相关考虑。个人资产超过 1 亿元人民币的企业主中，27% 已经移民，47% 正在考虑移民。小文如今也是其中的一员了。

他并不是没想过要改变社会，因为他比周围的同学更不满、更聪明、更有能力也更有余力和资本。他也知道，中产阶级的孩子，才是社会变革和新陈代谢的力量。

然而，那也许是很多年很多年之后，当他可以不必理性而实际之后的事情了。如今，这块土地无论给小文提供多么美好、富裕、成功的未来，他都不稀罕，宁愿连根拔起地离开。

小文移民加拿大的事情，周围的朋友很快就全都知道了。有羡慕的，也有鄙视的。他在宿舍里，仍然会和那个又红又专的党员就意识形态的问题吵起来，那个同学会语带轻蔑地回复："你有什么可吵的，你已经是加拿大人了。"

他想反驳，说自己是"曲线救国"，想想，还是罢休了。

2011 年 9 月

附记：

这篇文章的主角是我大学时代的一个朋友。

他毕业后就去了加拿大，如果安心待满四年，就能够获得加拿大国籍。他出国之前，我对他说："我每次出国，都会有种文化自卑和民族主义混杂的复杂感情，不知道你会不会这样？"他笑道："那是你内心不够强大。"

半年之后，他给我打电话，说自己从"愤青"变成了一个"爱国青年"，很烦那些整日说中国不好的同学，他的父亲像国外中餐馆那样用公筷都让他非常不满。

一年之后，他在和父亲去夏威夷度假的飞机上说："让我回北京吧！只要让我回北京，我干什么都可以。"

现在，他住在北京郊区的一个高新技术开发区，朝九晚五，也时常抱怨空气与水、抱怨堵车、抱怨生活，但从未想过回到父亲为他安排的人生。

天才的出走

理科实验班

高三的时候，柳智宇发现自己得了眼疾。他只要一看书做题，两眼就开始发酸，继而发疼，像是有沙子在眼中滚来滚去。

柳智宇就读的高中，汇聚了全省最聪明、最刻苦、最有钱的孩子。它刚刚在一年之内迅速扩招，仅一个年级就三十个班，一千六百余人。这所急速膨胀的学校，斥资三亿，从市中心搬到了荒旷的郊外，离市区有大半小时的车程，学校实行全封闭管理，学生们吃住都在学校，出校门需请假，手机是老师们睁一只眼闭一只眼的违禁物。

到了高三，班里的大部分孩子都从宿舍搬出来了。学校周边新盖的商品房供不应求，家长们或租或买，搬到这不着村店的荒郊野地来陪读，为了给孩子一个清静无忧、饭来张口的高考冲刺环境。

柳智宇的高三是特殊的，他早已不再为了高考而战。

他是"理科实验班"的学生。这是一个特殊的群体，如果说一般的高中教育是源源不断地向高考咀嚼系统输送养料，那么"理科实验班"走的是一条人迹稀少的食物管道，它通向的消化系统是奥林匹克竞赛。

"理科实验班"采取的是淘汰制，初中时至少拿过三科国家级竞赛奖的学生才有资格参加甄选考试，从中选出六十个左右进入"理科实验班"。

高一，这六十个同学确定自己要主攻的竞赛学科，分组，贴身教练，密集训练。

高二，一些同学明显天资不够，没有得奖的可能，他们被淘汰出去，作为落魄凤凰，混进普通学生的队伍当中备战高考。能留下来的，则为了参加国际赛事，为了夺金，开始参加一轮轮的筛选和淘汰比赛。

数百万的高中生，经过层层选拔，比赛；进入六人省队，获得全国冬令营的入场券，比赛；再次进入由三十名选手组成的国家集训队，比赛；从集训队脱颖而出的六人参加国家队，比赛——作为国家最高智力的代表竞技。

——如同运动员一样"为国争光"的标语，如此庞大，不负责任地裹挟了许多个体命运，当然能够理直气壮"一将功成万骨枯"。

全军覆没的竞赛小组数不胜数，他们进入国家队无望，得奖无望，保送无望。几年甚至十几年的高强度训练，忽然成了一身屠龙技。走了许久的光荣荆棘路，终于快到头了才见着"此路不通"的标志，只能急忙跟着浩浩荡荡的人群，去挤高考独木桥。起了个大早，赶了个晚集。

而这些功亏一篑的孩子，大多除了自己学科的竞赛技术，对其他学科几乎一窍不通，数学竞赛组的同学连化学反应的基本原理都不知道，他们只能从头开始学，在短短几个月的时间内学完高考所需的所有知识。

柳智宇从小学开始一路赛到大，赢得太多，没有敌人的人最易厌战。他早已获得了北大数学系的保送资格，再战，也不是为了自己而战，而只是机械地反复投入一场场无止境的循环赛中。

到后来，柳智宇发现自己身边的人越来越少了。高二下学期，数学奥赛组只剩下包括柳智宇在内的三名种子选手，其他两位在高三最后关头被挡在国家队门外，只能去复习准备高考，以六亲不认的状态学自己从前鄙视的那些学科。

而这所高中从1986年开始，所有数学竞赛人为此奋斗了二十多年，都没有进入国际奥林匹克国家队。柳智宇是二十多年来唯一的希望。

就在这时候，他发现自己面临失明。

偌大的新自习室，往往只有柳智宇一个人，他每天看书做题，备战竞赛，直到发现数字和图形伴随着一阵阵剧痛时隐时现，他所熟悉的世界时隐时现。

那一年，他为了看病，跑遍了全市的各大医院，早起去赶早班的汽车，有时堵在拥挤嘈杂的大街上，太阳暴烈地晒着时间。

医生让他作各种各样的检查，做出各种各样的结论，开出各种药方，却没有一种有效。

看完病，一天也过完了。夜幕低垂，柳智宇赶回学校。

一轮比赛结束，他发现自己不用眼睛，做数学题也不是那么困难。他在日记里形容道："整个图形记不住，就把它分成局部，这就好像你不能记住整张地图，但是每到一个路口你都会知道怎样走一样。"

除了这样与虎谋皮一般小心翼翼地用着眼睛，柳智宇的母亲每天晚上都会从市区赶到郊区，为他念数学题。第二天，柳智宇到空无一人的自习室做题，与大脑和身体搏斗，定期去复查眼睛。命运把他吞没在日复一日的催眠机制中，只有这样，他才能承受那些让人满怀恐惧的事物。

困惑时隐时现——"我这是为了什么？人活着是为了什么？"

他十几年来几近左右手互搏的竞赛人生让他困惑，老师不断渲染的虚无缥缈的集体荣誉让他困惑，周围同伴梦想破灭生死由命的前途让他困惑。学校在柳智宇身上荣誉的寄托，把他和周围同学割裂开。使命感不同，战友已经成为了自己的陪练，沟通变成了一件很尴尬的事情。

柳智宇小心翼翼地使用着自己脆弱的视力，小心翼翼地怀疑着自己脆弱的人生，而肉身已经过五关斩六将，加入了最后的六人国家队，要去斯洛文尼亚参加第 47 届国际奥林匹克数学竞赛。

数学竞赛小组吃了最后的散伙饭。柳智宇跟曾经的种子选手、落败后备战高考的同学说："我这段时间很郁闷，回顾我的整个高中，一次次地重建与打破，到最后还是找不到自己心灵的归宿啊。也许我一生都将这样颠沛，而生命的真谛对于我，就在这颠沛之中吧。不过你放心，心态对我的比赛成绩不会有影响，我的目标很简单：世界第一。"

2006年7月12日，国际奥林匹克数学竞赛开始。第一天的题目很简单，第二天的题目很难，尤其是最后第5、第6题，柳智宇被激发了斗志，用上了一年来悟出的应对办法，列出思路，顺利解答。在交卷的时候，就已经知道自己的答卷近乎完美。

在斯洛文尼亚旅游了几天之后，成绩发布，他和俄罗斯、摩尔多瓦的选手获得了满分金牌。

学校的网站上发布红字的喜讯："截至目前我校已获得国际奥林匹克竞赛金牌十枚，位居湖北省第一。柳智宇同学获得的这枚金牌对我校来说具有特别的意义，这是我校数学学科奥赛史上历史性的突破，我校现在的十枚金牌涵盖了数学、物理、化学、生物、信息学等各个学科。"

耕读社

来到北大之后，第一件让柳智宇感动的事情，就是在迎新典礼上，一位老师动情讲述了蔡元培校长在北大力开风气之先的事，以及后来在汹涌的社会运动中冒着种种阻力保护学生的故事。

听完之后，柳智宇就想：希望将来能成为北大校长。

这是个很快就被遗弃的发愿，但是对柳智宇来说，却一直有个耿耿于怀的执念——他不愿意看到自己所爱、所欣赏、所熟识的人，为了现实而向理想妥协。也许是因为从小就在一群高智商的孩子中成长，他目睹无数天资极好的人因为运气不好，差之毫厘，就被打入平庸的尘土之中。理想太理想，现实太现实，生活必经的跌宕坎坷碰壁，柳智宇都视为难忍的磨难。而柳智宇的梦想，就是能够加入甚至创造一个环境，与一群人"在一个自由、温暖的氛围中一起探索生命的真谛"。

这个理想对柳智宇来说，是"未成菩萨，先要度人"了：他自己的学习与生活都不断受到考验。眼睛没有康复，经常看了半小时书就达到极限，必须闭目休息大半天，才能缓过来。母亲不在身边，无法帮他念题，他大一的数学分析在期末只得了七十五分。学期末，导师召集十个人的小组，讨论学习中遇到的困难，柳智宇发现身边几乎人人都在苦海之中，且苦不自知。

社团文化是每个大学生的必修课，柳智宇先加入了禅学社。

这是很顺理成章的事。柳智宇高中时候就喜欢探索人生与宇宙的终极奥秘，也写过关于人生终极目的的哲学论文。但这些思考终不成体系，凌乱跳跃：前一天还是对《离骚》的赞叹，第二天又变成了向同学们普及基督教的教义。

然而参加北大禅学社，最大的收获是认识了一个师姐。

这个师姐当时在美术系读研二，她是柳智宇在孤独大学生活中仅有的朋友，温暖的来源。师姐教会他唱歌："此事楞严尝露布，梅花雪月交光处，一笑寥寥空万古。风瓯语，迥然银汉横天宇……

而今忘却来时路，江山暮，天涯目送飞鸿去。"

这是《楞严一笑》，是宋代法常法师于入寂前的清晨写下的，写完便收足而逝。

柳智宇找到了前所未有的宁静，他从少年时就常常感叹的"天地之大，无可载我之物；众生虽广，无可立我之人"的孤独感一下子找到了着落。

柳智宇从小就喜欢说"中国传统文化"云云，相信此中有真义，然而儒释道三家如此浩瀚，欲辨已忘言。柳智宇一直偏向儒家，觉得那是自我修养的正道。渐渐地，随着师姐把他引入佛家文化的领域，他内心的天平渐渐偏移，觉得佛教更能给人以慰藉，也更能解决他在身体、学习、人际上遇到的实际问题。

这位名叫熊雯的师姐不久就毕业了，去西安交大当了讲师。柳智宇参加禅学社的活动也越来越少了，他找到了一个新的归属——耕读社。

北大耕读社成立于2002年，创始社长是邓文庆，现在是龙泉寺的贤庆师父。他的继任者是创始人之一的于超，后来也在龙泉寺出家。柳智宇是第四任社长。

耕读社并不是以传播佛教为宗旨的社团。创始人邓文庆的建社纲领写得小心而谦逊。他说社团理念为：一来丰富精神生活；二来习圣人之道，"怀大爱心，做小事情"；三来学习和倡导"有机农业"的新理念，亲手种植有机农作物，推动人与自然和谐发展。

柳智宇则在当选并连任后，更新了耕读社的社团理念。语气与用词，明显多了许多指点江山的豪迈，以及毫不掩饰的野心。

新的社团宗旨中写道——"未来的耕读社，我们希望它……成为沟通学术界等社会各界的枢纽；并向外发挥社会影响，带动一种新的社会风气。这个目标一旦达成，其对中国及世界文化影响是深远的，因为这样一个健康的发展、视野开阔、社会普遍认可、可以推广的榜样一旦形成，人们立刻会以我们采取的方式产生信心，会有类似的组织效法而起，社会风气的转变也就可能了。"

社团的同学从他不断要"救更多人脱离苦海"的宗旨中嗅出了一些危险的意味，察觉到他似乎在有意地"发展下线"。

一次例行的晚读活动之后，柳智宇放了《和谐拯救危机》，这是一部由净空法师主持的佛教纪录片，由于具有很强的宗教渲染色彩，片子是搜索敏感词，在百度上的搜索结果是"根据相关法律法规和政策，部分搜索结果未予显示"。

这次赤裸裸的宗教渗透，引发了对柳智宇的大规模弹劾。弹劾信上说："其人笃信佛教，上任后将自己的宗教情绪带入社内，把宗教理念和社团宗旨混而为一，以耕读社的名义放映宣扬迷信、拒绝理性的影片，在校内造成了很坏的影响。"最后还嘲讽地写，"希望耕读社的同学不是脸上写满愁苦，还要一心普度众生的愚众，不是自诩高尚、满心想着感化他人的宗教狂徒……"

柳智宇对这些反对的声音并不以为意，也没有改变的打算。他已有了自己的支持者。而耕读社也在他的带领下，前所未有地壮大繁荣，并且成为了北大的十佳社团。耕读社的资金并不充足，柳智宇的个人捐款往往成为社团的主要资金来源。

柳智宇是社团唯一的骨干和精神领袖，经常组织一些出游和奉粥之类的公益活动。2008年5月，柳智宇第一次带领社团去参观龙泉寺——他在两年零四个月后选择出家的地方。

介绍龙泉寺的义工是柳智宇的师姐。她说，龙泉寺在正式被批准为宗教活动场所时，古老的龙泉出水了，清澈的泉水顺着水道穿过了整个寺庙。

柳智宇还在寺里见到了贤庆法师，也就是耕读社的创始人邓文庆。

贤庆法师说到了他出家的经历：他上大学时读到弘一法师的事迹，在北大读研究生快要毕业的时候来到福建莆田广化寺，追随弘一法师的路径出家。他的父母先是反对，而后也皈依了佛教，现在和他一起在龙泉寺生活。贤庆法师负责更新龙泉寺的博客，以平均每天一到两篇的速度，勤快地介绍寺院的每次活动，而他的父母则帮寺院干些杂活儿。

贤庆法师的经历对柳智宇有多少参考价值不得而知，而一家三口其乐融融、齐心戮力学佛的画面，至少向他展示了一种可期待的可能性。

柳智宇内心早已从儒士变成了佛教徒。这种转轨看似一念之间，实则足以改变一生。柳智宇的家人，在他给家里的电话中不断普及佛法后，敏锐地意识到了这一点，但他们认为这只是柳智宇在不断寻求正解路上的工具之一，就像他当年参加奥赛训练一样，培养的是"一种思路"。

他的父母找来哲学老师与他谈话，希望提供一种成本更小的

"思路"，来解决他关于人生的疑问。谈话的结果，是父母拗不过他，只能任他信了佛，而柳智宇暂时打消了——抑或是隐藏了——出家的念头。

除此之外，柳智宇的生活还发生了一些微妙的变化。他开始每天记"善行日记"。

"善行日记"是龙泉寺法师发起的修行，在我们这些俗人看来，和"功过格"没有什么两样。把每天的生活分为自己做过的"好事"以及"坏事"，功德加分，过失扣分，月底一计算，年终一评比，功过相抵，看累积点数——够不够让自己得到福报。

柳智宇每天记的"善"，大多是帮助他人，比如"去给不认识路的同学领路"，"借了同学 GRE 单词的光盘"，"借了师姐一千块钱"。

他的"过失"，则是对自己灵魂深处莫名其妙地声讨，比如"谈话时要多顺应对方，不要急于发表自己的观点"，"有高傲心，不愿意走进别人的内心"。

"善"与"恶"却在这种每天不断的记载中，变成了孤芳自赏的游戏，于外人，生硬而古怪。

比如，在班级活动中，柳智宇会提出在大巴上唱歌以增进感情。这种出发点，无疑属于他日记中的"善行"；而在同学中，却是无人应和的尴尬和干瘪的讪笑。行善成了悖论，意味着以自己的意愿，全心全意地让别人高兴。

对父母的顺应，属于柳智宇"行善"的范围。他自己对前途的规划是念研究生，学"中国哲学"，而父母希望他出国。柳智宇最后同意并且开始准备。

对儿子，柳智宇的父母与其说是干涉，倒不如说是亦步亦趋地追踪思想动态。寒假回家，柳智宇吃饭时表达了对美国引发全球经济危机的不满，父亲怕他偏激，晚上就给他读了介绍中美情况的文章，希望他仍然坚持去美国读书的计划。

2010 年春天，柳智宇收到麻省理工学院录取通知书，全额奖学金。他的父母都非常高兴，他也因为父母的高兴而高兴。

体谅、顺从、感恩，柳智宇似乎找到了孝的核心。他有时会到食堂认真地点一碗羊肉面，因为母亲叮嘱体寒的他要多吃羊肉。

几个月后，柳智宇却做出了一生中最大的叛逆——去龙泉寺出家。

龙泉寺

龙泉寺在北京郊区凤凰岭脚下，幽静，不大。在寺里走来走去的有僧人，也有还没剃度的修行者，大多年轻瘦弱，戴着眼镜。周末有义工来帮忙，也有些驱车前来吃斋、放生的人。

负责接待来访的僧人们很警觉，他们人手一部苹果电脑，上网，浏览和搜集对柳智宇及寺院的媒体报道。

柳智宇出家后，除了他的父母以外，没有见过其他外人。而僧人们很明显没有统一口径，有的说他已经不在寺内，有的说他即日剃度。

住持似乎透露过让他提前剃度的意思。一来是因为他天资高，对佛法学习领悟得很快。二来是因为他有名气，外界视他为弘一法师般的高僧，也能够对弘扬佛法起到一些作用。

然而另一些高僧，例如明奘法师，则对柳智宇不大看好，说他没有僧相也没有僧气，太有棱角了。

柳智宇出家，本来并没有剃度，只是净人，还有回到过去生活与圈子的可能性。媒体围追堵截，已捧他为抛弃红尘的高僧，柳智宇即使后悔幻灭，也没有退路，没有回到正常生活的可能性。

夕阳下的龙泉寺非常肃穆美好，让人一步三回头地舍不得离开，心里浮现出三岛由纪夫《金阁寺》里主人公的感慨："倘使你是人世间无与伦比的美，那么请告诉我，你为什么这样美，为什么必须美？"

《金阁寺》的主人公叫做沟口，是个口吃孱弱的年轻人，他视金阁寺如人间至美的化身，后来离开寺院，去读大学，渴望介入世俗生活，也试图同女人发生关系，却总是因为金阁寺在脑中的闪现而失败。他认为是它横隔了自己与所希冀的生活，最后只能选择一把火烧了金阁寺。之后，他扔了原本用来自杀的安眠药，抽了一支烟，心想：我要活下去。

人人心中都有"我执"，有他人植下的障。柳智宇一直以为在消除着执念，结果却是在灌溉和壮大它。有些念头——寂寞也好，怨念也好，胸中块垒也好，对自身至美至善的吹毛求疵也好，救他人出苦海的无私与无力也好，这些念头，你以为已经完全消除了，它们却识得回家的路，让你做出不计后果的事来。

现在的北大耕读社已经不是刚创始时候的二十多人，已经有了一千多人。一多半是毕业或校外人员，不知道其中有多少是柳智宇的宣传效应。

耕读社的论坛上，有人提议要去看看柳智宇，被其他人凉凉地讥嘲："不知道你来耕读社是什么目的。"发帖的人愤怒地声明自己加入该社，绝没有因为要接近这个传奇的不良动机。辩解了几句，这个提议，随之也就被搁置，然后被遗忘了。

2011 年 5 月

附记：

这篇文章的主角是我高中的师兄，听闻过很多他的事迹，也有过几面之缘。

再次听到他的消息，是他出家了。我非常震惊，花了很多精力去了解此事，了解得越多，心态就从最初的猎奇，变成了一种深切的同情。

因为我看到了他的痛苦。

我想去寻找他，甚至报名去他所在的寺院当义工，然而最终只是远远地见了他一面而已。几个月后我再去，僧人们说，他离开了，不知道去了哪儿。他所寻找的东西，最终也不知道能不能找到。

我想与他分享一段话，一段让我受益多年的话：

"世界并非是不完美的，或是正处在一条缓慢通向完美的路上；不，它在每一个瞬间都是完美的，一切罪孽本身就已经蕴含着宽恕，所有小孩本身已经蕴含着老人，所有婴儿都蕴含着死亡，所有濒死者都蕴含着永恒的生命……学会爱这个世界，不再拿它与某个我所希望的、臆想的世界相比，与一种我凭空臆造的完美相比，而是听其自然，爱它，乐意从属于它。"

这段话出自黑塞的《悉达多》，讲的是一个青年人孤独地寻找世界之真理、生命之真理、自我之真理的故事。

被绑架的盗火者

1994年12月出生的程齐家，比周围的同学小一点。2010年，他在人大附中——这所声名远扬的名校读高三。

程齐家所在的是英语实验班，而他的强项是数理化。若是按部就班，最好的结局是他将会考进清华的机械专业，毕业后研究汽车。程齐家住校，每周末，他妈妈都会来看他，给全封闭环境下的儿子带来一些外界的社会新闻，让他多些对社会的认识。他们谈话交流，彼此安心。

高三就这样规律平静地过了一半。一个周末，程齐家的妈妈来看他，聊天中她说一位院士在深圳主持筹建了一所大学，准备招收已完成高中知识学习的高二学生，学生要参加学校组织的高水平测试，进入大学后可以接受最好的高等教育，老师们都是知名学者，这所大学叫南方科技大学。

南方科技大学只收高二的学生。学校官方的解释是："为培养创新人才，同时可避免高三一年纯粹的考试训练对高素质、原生态学生创新能力和学习兴趣的扼杀。"但是，再笨的人也能看出真正用意：对直面高考的高三毕业生来说，考北大清华港大，当然是更顺理成章的目标。南科大从高二招生，当然是为了能拦腰斩断、收割优质生源。

程齐家后来回忆说："南科大就是这样以一方净土的模糊形象被我所认知。当时我未把此事真正放在心上，妈妈也玩笑似的感叹我没有这个机会了。我也只得认命，觉得水木塘边赏月、未名湖畔折柳亦不枉此生。"

年底，班主任拿了一份通知，说南科大将在人大附中高三年级招收第一届学生。程齐家当时已经获得了校荐北航的机会，也自荐报考了上海交大，虽然对南科大只有模模糊糊的印象，但他立刻觉得这是个惊喜，第一时间报了名。

对于要报考南科大的学生，人大附中不仅没有打压，让他们回归官方志愿，反而给予了让人意外的热情鼓励。除了几次动员，人大的刘校长还专门给想报考南科大的家长开了个见面会，会上和南科大的新校长朱清时电话连线，解答家长的问题，试图消除他们心中的疑虑。

这次见面会之后，人大附中一共有七个孩子，确定了报考。

朱清时校长的演讲一向犀利而昂扬，"教育改革"、"学术自由"、"去行政化"这样的词是屡试不爽的鸡血，而他描述的南科大蓝图更像近在咫尺的乌托邦。朱校长说首届招生时只招五十名学生，未来亦将严格把师生比控制在一比八的规模，小班化教学是教育模式的回归，大一、大二采用通识教育。

可是在对家长的说明会上，不知道朱校长有没有说明，南科大还没有获得教育部颁布的正式批准筹建的批文，也没有招生许可，大学毕业后的文凭也可能得不到国家承认。

在咨询会结束几天后，教育部终于向南科大颁发了正式批准筹建的批文，这所先斩后奏的大学，方才获得了迟到的准生证。

接下来的故事，似乎是按照皆大欢喜的方向发展。

人大附中特意为南科大自主招生的笔试开设了考场。考试的题目是教育部考试中心提供的，考数学、物理和英语，题目比高考要难。

这三门课是程齐家的强项，他考完之后就对母亲说："绝对没有问题。"

通过笔试的，除了程齐家之外还有一个同学，那个同学比程齐家成绩要好一些，性格内向，出于顾虑，最后放弃了南科大，冲刺北大清华。

通过笔试之后，程齐家就读南科大的意愿更加坚决，它不再是未来的选项之一，而是未来本身。

因为儿子的坚决，家长也开始衡量报考这所大学的风险。有的朋友坚决反对，说："政府的事儿你也信？"

风险当然是有的。家长最担心的是政府决策很容易变，"有时候领导换届了，往往一些事情就不好说了。"

南科大的重要推动者是深圳市，也是它的投资人。南科大的前途当然是随着业主更迭而瞬息万变的（后来事实证明，家长的担忧是有道理的，支持南科大的深圳市长许宗衡在 2011 年 5 月因为贪腐而判处死缓）。

对于南方科技大学自授学历和文凭，家长反而并不太担心。"自授学历"是朱清时校长口中高校恢复活力的关键。他说全世界唯有中国是国家学位，各个学校拼命去跟教育部公关授权，而不是拼命提高教学水平，这是本末倒置，必须打破铁饭碗。

而家长确实也有更现实的考量。程齐家的妈妈认为对孩子来说，大学不会是学历的终点，他一定会继续深造，但总应该获得一个国家承认的学历吧。

衡量之下，报考南科大，最好的结果是，程齐家接受了招生简章上承诺的高质量教育，有了很好的发展。

最坏的结果是学校解散了，他再回家来参加明年的高考——程齐家说，即使这样他也认了，大不了回来考清华。而他即使明年回来高考，也还比应届生小一岁。

寒假，正月初十前后，南科大在深圳进行了第二轮录取考试。程齐家第一次坐飞机，他自己飞。他是唯一单刀赴会的学生，参加了面试、能力测试和心理测试。

两三天后，南科大打电话，祝贺录取。还没有开春，程齐家就早早告别了如临大敌备战中的同学们。

2 月底，程齐家一个人去了南科大报到，他带了几本书，包括易中天的《闲话中国人》，还有字帖和德语书——这些都是他准备上大学后自我教育的内容。

空旷崭新的校园里，全部师生加起来也不过七八十人——也许还没有赶来抢新闻的记者多。学生的组成乍一看更让人觉得这不像是一支正规军。

——南科大的学生很大一部分来自前一年报考了中科大少年班、上了一本线但没有被中科大录取的学生。这些孩子本来就是特殊的，他们像是从一个试验皿跳进了另一个，而南科大的校长朱清时是中科大的原校长，两个试验皿也属同胞。

南科大首届学生中最小的只有十岁，叫苏刘溢，他七岁上初中，八岁升高中，十岁考大学，高考考了五百六十六分，在去年 9 月就已经入学，是南方科技大学招收的首位学生，在大半年的时间里，一直孤独地等候着未来的同学们。

除了他之外，南科大的首批新生里还有十三岁的王嘉乐、岳照，十四岁的范紫藜。

南科大在喧嚷中开学，晚上才得安静。学校安排学生看了电影《放牛班的春天》。电影讲的是寄宿学校里一群难缠的问题学生，被音乐老师感化，组成了一支合唱团，才能被唤醒，心灵变得温驯美好。

放这部片子，大概是因为校长猜到了这会是一群难管的学生。他们年纪尚小，早早就被周遭目为神童，过早觉醒，天生反骨，又在外界对南科大的好奇中收获了许多注视。对南科大的天才们，除了教育，大概还有些教化的工作要做吧。

《放牛班的春天》主题曲里唱着："看看你经过的路上 / 孩子们迷了路 / 向他们伸出手 / 拉他们一把 / 步向以后的日子。"

在广州黄埔军校半个月的军训结束后，正式开课。

程齐家笼统而乐观总结他上大学后的感悟："学校各方面条件都很好，学习氛围很浓，思想很自由。同学们崇尚智慧，努力汲取知识拓展思想，在这里我们开始关心社会，学会了对自己负责，并试着通过自己的努力为南科大、为社会承担应尽的责任。我们还知道，人民生活水平提高需要每个人的努力，社会进步需要每个人的积极改变。"

他这样概括自己在南科大的常规生活："这学期有微积分、线性代数、物理、计算机科学、国学、社会学、英语，还会经常由知名学者教授开讲座。大家普遍感觉压力不小。有课时认真上课，没课时自己复习、看书、用电脑娱乐一下，我每天都会去健身房锻炼，大家有时会一起出去玩。"

南科大理想的设计是"书院制"和"导师制"相结合。老师和学生同吃同住，可以随时交流问题。一个导师带三五个学生。

到现在，"书院制"已经落实了。院长是原来香港城市大学的副校长唐淑贤。"导师制"却还遥遥无期，困难在于师资。这是南科大从筹建创校就存在的问题，早先在招生简章里公布了的一系列名师并没有全部落实，很多教授也只是兼职，保证课时已是勉强，更无法充当无微不至指导专业、生活、人生方向的导师了。

以外界人的目光，南科大之难，更在于与"组织上来了新规定"走一步退三步的漫长谈判与妥协。

4月，深圳市委宣布将通过公开推荐方式选拔两名局级领导干部，到南方科技大学担任副校长。

6月，南科大宣布副校长由理事会根据校长提名聘任，守住了"去行政化"的承诺。

5月，教育部说改革要依法办学，要遵循制度，规定南科大的学生必须要参加高考。

6月，南科大的学生写了封公开信，集体缺席高考，不向应试教育低头。

表面上看，南科大已在往体制的天花板冲，冲顶成功，姿势壮烈且不难看。可谁都知道，姿势不能兑换成胜算，"抵抗"更是与胜负本身无关的事。

"学术自由"和"行政指挥"抗争的战役历史上早有过，且前者赢了。中华民国的教育部，曾在上世纪40年代大张旗鼓地要求统一动作。当时在云南的西南联大，也被要求实行毕业总考制。虽然其他学校也有牢骚，但只有联大全校一致抵抗。在这项规定实施的头两年，联大是唯一一所拒绝参加考试的学校，教授也对学生给予道义上的支持。

历史和现实如此相似，是因为被挑战的那一方只能见招拆招，路数如此单一。当时的教育部以拒绝颁发毕业证书相要挟，西南联大仍然自行其是。最后，教育部无法，只能作出保全脸面的妥协：联大学生需参加考试，但是全部自动通过，联大不必把分数上报给教育部。到了1941年，联大干脆连过场都不走了。

七十年前，西南联大之所以能大获全胜，是因为"学术独立"是学校和执政党谈条件的共同底线。是时，知识精英还有寡头集团的话语权。如今，物是人非，角力的双方不同，赢面自然不同。

大家赞南科大勇气可嘉，看它的目光却像看一名烈士，觉得南科大一定会死于它的"抵死不从"。

"不从"也是由于无奈。早在高考前，师生间、学生间、家长间就因为到底要不要高考而争论。

朱校长在外地，无法表态。学校则有领导开始组织说服学生家长参加高考，人心惶惶。

真正反对参加高考的，除了热血而理想的学生，还有焦虑而现实的家长。他们担心：按照国家法规，南科大不能录取学生，肯定会找别的学校录取，例如深圳大学，毕业时如果发深圳大学的文凭，怎么办？国家规定外地孩子不能在深圳参加高考，是违法的，学生一辈子背上了高考违法的不良污点，怎么办？学生如果没考好，被当做攻击南科大教学质量的口实，怎么办？最大的风险是，朱校长可能会因此辞去校长职务，这些学生怎么办？

朱校长是家长和学生的精神支撑，他曾反复描述过一座近在咫尺的海市蜃楼，那是与深圳一河之隔的港科大，建校仅仅二十年，最新排名已经超过港大成为亚洲第一。

而朱校长对中国教育的忧虑，也让这群还未成年的孩子有了宏大得可怕的责任感。

在拒绝参加高考的公开信里，南科大的学生自称为"探路者"，他们疑惑以及焦虑的是：为什么中国造不出真正高质量的大飞机，造不出一流的汽车底盘，为什么高科技核心技术都是外国公司开发的？

程齐家给南科大寄去的自荐信里，也附上了一篇文章，叫做《钱学森之问》。他显然已经找出了问题的答案：当然是陈旧的教育体制的错。

南科大的学子说："我们体会到的，是我们老一辈科学家那心急如焚的心境和沉重的感叹！"

白发苍苍的老者和奶声奶气的少年影像重叠，显得吊诡。听未成年的孩子们沉重做些"关乎祖国未来，关乎国家命运"的振臂高呼，即便是少年听风便是雨，多少让人有些觉得生硬——到底不是五四时期了，"水深火热生死攸关"的讲演无法获得预想中的热烈激昂，取而代之的，多是让他们认清现实的凉薄尴尬。

拒绝参加高考之后，南科大才面临真正的危机，危机来源于内部——不断有人叛逃这座天空之城。

先是港科大的三位教授离开了南科大，还写了篇檄文，说南科大煽动学生不参加高考近乎"文革"，改革不能光靠口号。

后有一名南科大的学生请了长假，然后再也没有回到学校。

对于其他南科大学生动辄家国命运的宏大叙事，这个退学的学生不吝冷漠嘲讽。他说："绝大多数人选择南科大是为了能够通过南科大与国外高校的合作而出国留学，当时朱校长也是这么对家长说的。我认为这很正常，毕竟人总是要考虑自己的前程，可我实在看不惯有些人张口闭口就说为了中国教育改革的未来。您说您是为了改革而献身，从不担心自己的职业和未来，那好，您自己高尚去，别拉上别人，为自己将来担心的人多着呢，不要总是代表别人。"

他认为在南科大是没有前途的，决定参加高考，退出这支被捆绑在一起的盗火者队伍。

盗火者普罗米修斯为了人类，设法窃走天火，被宙斯捆绑在高加索山脉的岩石上，为鸟兽啄食，却要长生不死，他的痛苦要持续三万年。

盗火者是被绑缚的，也是被绑架的。这几乎是所有改革或革命者的宿命，骑虎难下，革命者们用一贯洪亮激昂的调门控诉当下，构造乌托邦；戏假情真，革命者们眼里常含泪水，眼泪也为自己而流。无论如何，只能硬着头皮走下去吧，管他前面是什么。摩西当年恐怕也不知前面是否是深渊，但总不能回身向他的追随者们无奈地摊手劝回。即使摩西是个瞎子或近视眼，也得为了身后被感动的信任者，走向他内心自认为清晰的彼岸。

我问过程齐家，他的理想是什么。在进入南科大之前，他的理想是毕了业研究汽车，这是他的兴趣。现在问他，他则说："我的理想是做一个全面的人，广泛接纳各种价值体系，并永远守护心中的理想和价值，以数理逻辑观察世界，又以艺术的思维生活，活得自如。"

他的未来被推得更遥远了一些，南科大的未来似乎也被推得杳渺了一些——秋季招生的简章迟迟未出，不知道第一届学生是否是最后一届。

程齐家的妈妈告诉我："如果要写关于南科大的一些事情，一

定要显示出我们多么拥护党和政府，我们善良，我们弱势。"情况
比她当时想象的要复杂和艰难很多，若是一开始知道如此，她也
许不会同意孩子去南科大的。

2011 年 6 月

附记：

这篇文章是采访南方科技大学所作。当时这所学校正处于舆论的
风口浪尖，因为出现了学生退学、教授罢工等新闻。

如今，南方科技大学搬了新校区，恢复了招生。2013 年南科大在
全国 14 个省份共招收新生 388 人。比起学校获得准批时"全日制在校
生规模暂定为 8000 人"的规模，这个数字仍然不算多，一位南方科技
大学的学生，所在的生物技术专业只有六个人，她觉得南科大和其他
学校最大的不同是"翘课很容易被发现，都不需要点名就知道谁没来"。

关于南方科技大学的新闻已经越来越少了。这或许是好事，更有
利于它在这个时代缓慢地前行。

长安青年

东莞某镇的电视台，正在举办歌唱大赛的决赛。

比赛的形式学的是已经流行了很多年的选秀比赛，每周都在电视台播放着海选以来的淘汰过程，参赛选手们也在小小的城镇里成为了颇有知名度的偶像。最后进入决赛的有十名选手，比赛完第二天早上就会飞到北京，录制一张唱片。当地年轻的宣传局局长说："要让他们也进录音棚，圆梦，感受一下当明星的感觉。"

宣传局局长是个80后，漂亮精干，坐在决赛现场的第一排，不时打电话给导播下指示，埋怨主持人不到位，没有把握好泪点，没有"成功催泪"。能看得出，她有层出不穷的想法、用之不竭的动力去把活动办得精良热闹——就像她经常在湖南卫视上看的"快乐女声"那样。想要有模有样，想要样样不输人，可永恒无解的难题是城镇的平台太小，架势再像，最多也只能模仿到两成相似。

选手的专业程度也只能模仿两成。最后进入决赛的选手是从两百多个报名者中选出的，几乎全是 90 后，唱着那些理发厅、餐厅经常放的港台流行歌曲。对他们来说，这次比赛并不是什么演艺生涯的起点。未来回忆起，大概也只是某个狂野的暑假而已。

歌唱的水准只是平平，不过是班级公开表演的水平。直到最后的选手，一个胖胖的女孩，唱着《我是一只小小鸟》，开口刹那便引得观众交头接耳，因为一听就是专业水准，水平高出他人太多。

歌词是："我是一只小小鸟，想要飞呀飞，却飞也飞不高。我寻寻觅觅，寻寻觅觅一个温暖的怀抱。这样的要求，算不算太高。"这歌一直是怀才不遇者的悲情主题曲，字字都是自怜，都是尖利冰冷的控诉。

女孩一共唱了三首歌，难度俱高，高音凄厉，直冲上演播厅棚顶。歌词也尖锐："你当我是浮夸吧。夸张只因我很怕。似木头、似石头的话，得到注意吗？其实怕被忘记，至放大来演吧。"观众无法应和她的音调与节奏，只能愣愣地听，比赛的气氛突然转变，从之前"众宾欢也"、自娱自乐的乡亲之乐，变得略微有些尴尬。

比赛的主办方不想让这个女孩得冠军，甚至之前对三个评委暗示——不要让她夺冠。

原因有两个：第一，她之前学过声乐，对其他选手不公平。第二，她是外地人。这个原因更重要一些，因为比赛的目的本来是弘扬和宣传本地文化，若让外地人夺冠，恐怕会引起镇里人的不满。

女孩最终没有夺冠，拿着亚军奖杯笑容尴尬。她之前的忿忿与悲情似乎也找到了解释：只因为是外地人啊。

这个镇子叫做长安，和唐诗中的古都并没有什么关系，没有"秋风生渭水，落叶满长安"的古意，倒是更有些"冲天香气透长安，满城尽带黄金甲"的气质。

它是东莞最富裕的镇子。中国是世界的加工厂，东莞是中国的加工厂，长安是东莞的加工厂。最著名的企业是步步高和做饮料的加多宝集团。

长安镇像个小小的乌托邦，环境好，人富足。近几年，它也着急忙慌地抓了些缥缈的名号，例如"中国摄影之乡"、"中国书法之乡"，想摆脱大家对东莞"性都"的概念，变成"文化之都"。镇子虽然袖珍，可是什么都不缺。仅仅五星级宾馆就有三个，环境最好的叫"莲花山庄"，是靠山依水的别墅群。山庄旁有高尔夫球场，亦是国际水准。

我不知道它到底是谁的乌托邦，是谁的天空之城。长安镇只有三万本地人，其余七十多万人全部是外来打工者。虽然外来人被称为"新莞人"，他们是被注射进的活力，却始终与城市的动脉无法融合，格格不入。

三万本地人统治着七十多万的外来打工者——这样的说法也许会有些用词过猛。然而差别确实显而易见，尤其是对年轻一代人来说。

长安本地青年人是理所当然的富二代，他们的成年礼物常常是一辆价值三十多万的汽车。去年年底，长安镇就发生过一件争议事件：富二代驾奔驰撞死人逃逸，而仅仅被判一年半。肇事者的父亲曾经担任长安镇夏岗村村委书记。讽刺的是，肇事者撞死的也是富二代，不过是外来的富二代。死者的父亲是从外地来长安开厂的生意人，生意也做得成功红火，他对最后"一年半"的判刑结果也不满意，却也无奈。原来，即使财富也能够被战胜——被财富＋族群认同感战胜。

对本地的年轻人来说，"奋斗"是个陌生的词汇，他们的父母也不太希望他们奋斗。与其出外打拼，还不如固守好家族产业，抑或是进入当地的政府机关，成为体制内的一员。

长安镇为了教育"富二代"煞费苦心，建立了一个"骄子计划"，每个月请一些名人来讲课讲座；举行青少年"文明使者"的评选；包括这回的歌唱大赛，也是一种努力，希望他们在物质富裕的情况下，精神也不贫瘠。

为这些计划而工作的宣传局年轻人，也是本地人，家境优越，刚刚大学毕业。她从地球另一端的澳洲留学归来，最后仍然回到了家乡，在家人的怂恿下进入政府机关工作。

长安本地的年轻人，守着也许几辈子也用不完的财富。外来打工者，则越来越清晰地品尝着"长安米贵，居大不易"的苦涩。

中国的优势是出口廉价劳动力制造的商品，比如出口衣服和鞋子——就像东莞另一个富镇虎门，是衣服的集散地；另外还有些稍微高端些，电子产品之类，比如长安的"步步高"和深圳的

"富士康"。

不断上升的人力物力成本让珠三角不再有竞争优势，2008 年的全球金融危机则是更大的打击。珠三角的"倒闭潮"也是从 2008 年开始的，东莞倒闭了几千家工厂，大约占总量的三分之一。

那一年年底，长安镇最大的台资鞋厂倒闭了，老板突然人间蒸发，剩下两千多名工人索薪无门。也许很多长安人还记得那时的场景：已经入冬了，数百个愤怒的工人走上长安的街头，他们聚集在自己曾经工作的厂子门口，签名、按手印，要求政府偿还契约终止金。街上有防暴警察警惕布阵。冬天的东莞并没有想象中温暖，工人身上蒸腾出白色的热气，倒让人恍惚想到当年铁西区倒闭，众多工人下岗时的无助茫然。

这件事以政府垫付七百万拖欠的工资结束，但这结局远远称不上"皆大欢喜"。对打工者来说，每个月将近三千块的工资，虽然谈不上什么梦想成真，也几乎没有任何或创业成功或点石成金的机会，但与家乡种田收入结合，二一添作五地齐心戮力过日子，倒也值得背井离乡。

工厂倒闭，令他们不得不被打成原形，回到家乡。坚守下来的那些人，也许在工作机会上能守得云开，可需要忍受的隔阂与不公却无法修复。

前两年，长安镇封闭了一条路。那条路叫做铜古上路，附近有公园和小学。有许多打工者在附近租房，人们去公园，家长送孩子上学，一般都会走这条路。

有一天，路口设立了治安岗亭，岗亭上贴了一张通知："外来车辆及人员禁行。"岗亭里也有治安员，拦住企图穿行的外地人，告之这条路本地人可走，外地人（打工者）禁止通行。社区区委会的解释是维护治安，但封路的隐喻却呼之欲出，让人心寒，外地打工者被屏蔽、被隔离、被禁止通行的，是这里的文化、娱乐以及教育。

库切写过一部反种族隔离的小说，叫做《等待野蛮人》，假设了一个无时空限制的帝国，在它荒凉的边境小镇，有一天传来了消息，说首都已经注意到边境线附近的野蛮人正在联合起来，对帝国形成了眼中的威胁。所谓野蛮人，所谓的敌人，其实不过是一些世代生活于边境的游牧民族而已。帝国却挑起了一场不存在的战争，搜捕危险敌人，并且扩大了战争的规模。

相对于野蛮人，帝国自视为文明的象征。库切这样形容帝国的矛盾："它注定要在历史中再现一个反历史角色。帝国的意识就是：如何确保政权的长治久安，避免分崩离析。一方面，他们处心积虑地搜捕宿敌，到处布下他们的鹰犬；另一方面，则以灾难滋养自己的想象：城邦凋敝、民不聊生、饿殍遍野、千里赤地。"

帝国充满了臆想症，为自己塑造出无中生有的敌人。最后，不存在的野蛮人真的来了，他们开始反击，开始骚扰着边境各处。帝国士兵们逃亡腹地，而边境小镇则越发荒凉。

宜居不易居的长安，在乌托邦般的布景下，酝酿着隔离、不公、歧视的紧张氛围。敌我矛盾变成人民与人民的隔阂，而地点就在城市内部。

今年 6 月份，广州新塘，打工的四川人和本地人发生矛盾，发生聚众事件。从歌唱比赛只得了亚军的女孩，到棍棒相向的本省人与外省人，让人生出有些老套的感慨：野蛮人并不是等来的，而是被制造的。

2011 年 8 月

附记：

这篇文章是去了东莞长安写的。

文章发出来之后，被一些长安本地人攻击，说某些一代外来打工者已经和当地人融合得很好，其乐融融，共创繁荣。

我承认自己对长安走马观花地观览，结论当然是片面的。不过我认为文中所描述的这种危机依然存在。乡村人迁往城市，为了更好的生活。更好的生活不只指金钱；更重要的，是改变身份的欲望。农村人到城市里来谋生，和挺着大肚子瞒过签证官、一定要把孩子生在美国的中国人一样，是为了孩子有和自己不一样的人生，享受比自己更多的权利，更好的机会，更大的公平，更可靠的安全感。

外来打工者为了这些希望，承受着不公平与漠视，然而，希望也往往不能顺遂。他们是大多数，他们生活在我们的视线边缘，在旅游地图以外，在电视镜头不会拍摄到的地方。

想象的祖国

1947 年，一个叫做郑定邦的建筑师奉命为台北市的街道命名，他把一张中国地图贴在台北街道图上，中轴线对准中山南北路，然后把中国地图的地名，一条一条画在台北街道上。所以熟悉中国地图的人很难在台北迷路，因为一抬头就是"温州街""西藏路""武昌街"。

六十多年后，"反攻大陆"的说法仍时常被提起，却往往是被大陆人半开玩笑地提起。

台湾，成了浮游在中国大陆上的一张地图，成了想象中的祖国。

到台北桃园机场是下午，湿热得很。

在大巴上，中年导游介绍台湾现在有两千三百万人，其中大约两百万人如今在大陆做生意。我忽然想到，1949 年，徙台湾的大陆人，似乎恰好也是两百万。当年投奔台湾的人，满心前途未卜，可恐怕怎么也想不到如今会以这样的方式回来。

导游又说："大家往窗外看哦，这就是台北。那很多人会说嘞，本来以为台北会很繁荣，一看嘞，诶？！怎么会这么破……"

车窗外的台北，的确是旧旧破破的样子。建筑不高，灰灰矮矮，街上一批批骑摩托车的人穿行，感觉有点像80年代的中国大陆，或者是内陆的一个被遗忘的二三线小城市。

导游随即自问自答，说台北之所以这么破，是因为台湾人对房屋拥有所有权，政府不能因为城市建设的原因拆除或者征用；不像大陆，看起来很新，房子都是国家的，而不是自己的。

大概是因为带惯了大陆来的游客，所以导游在介绍台湾的时候，总是会和大陆做对比，比如言论自由，比如民众对待领导人态度的不同。

我在大巴车的后排，看着导游手舞足蹈讲一些对我们来说或许已经有点老旧的政治段子，惟妙惟肖地模仿着毛泽东、邓小平等领导人，忽然觉得他的言行在两岸关系中有种象征意义：台湾对大陆，有自傲，有怨恨，有同情，也有取悦。十分微妙。

台北是很容易让人喜欢上的城市，刚到其他大城市的时候，迎面而来的往往是设计和规划过的"城市印象"，而在台北，面对的则是一种复杂和旺盛的生命活力。规划是生活的延伸，该有树的时候便出现了树，在要有路时就有了路，所有的路都沿着房屋弯弯曲曲。人类生活是血液，城市建设则是血管，它是保护和包裹，而不是一拍脑门的设计和切割。

台北应该是简·雅各布斯最爱的那种城市，它是自然生长的结果，这种生长是连贯、有感情且不可预测的，有自己的逻辑，规划在它面前显得如此苍白。

路上咖啡馆很多，大概因为台北不是一个容易行走的城市。因为天气的关系，湿热多雨，间或夹杂着暴晒，走起路来又晒又闷又出汗，一会儿就累了，找急忙慌地要找个清凉干净的地方坐下。

写作环境大概决定了台湾的文化吧——小清新的音乐与文学，不大像欧美文学能明显看出在城市中的穿行感，而更像是一边喝饮料，一边看着玻璃窗外写下的。舒服熨帖之极，可视野总有局限，望不出天之涯地之角。

在这里，经常会有"原来是这样！"和"这样才对嘛！"的醍醐灌顶感。尤其是食物。"原来这才是铜锣烧！""原来这才是章鱼小丸子！"自己原来吃过的同名食物，只是长得很逼真而已。在夜市吃了一路，时常会露出美食外景主持人那样的、一口咬下去仿佛撞鬼的惊讶夸张的表情。

我发现夜市人极多极热闹，每个人手上都拿着食物，但是路上非常干净，连丢弃的竹签都很少。

不只是夜市，整个台北市都很少见到垃圾箱，可是街道上却很干净，除了落叶，没什么垃圾。要扔垃圾的话，得到捷运站，或者到7-11便利店，拜托店员扔。

忍不住想到内地街道，垃圾桶很多，可街道仍然很脏，尤其是垃圾桶附近，常常见到一片狼藉，印证了"破窗理论"。

这种反差，若抒情地叙述下来，再加个"见微知著"的题目，例如《文明的细节》之类，仿佛能构成一篇很好的《读者》卷首语的豆腐块文章，旨在痛心疾首批评民众素质太低。

指责国民劣根性以及素质低下是鲁迅以来知识分子的职业许可证。它既说出了很大一部分人的心声，又巧妙规避了政治上的风险，同时也有个优美的愤怒姿态。而把台湾人的素质和大陆人素质对比，则是一个更讨巧的方式。

称赞台湾人素质高可做多重延伸，"右派"可以声称是民主制度使台湾人素质高，温和的民国爱好者们则说是由于中华文化。

最近几年，大陆对台湾的溢美热情得令人尴尬，连台湾人自己都忍不住问："我们真有这么好么？"

晚上，在露天饭馆的二层，我和两个绿营的台湾人聊到这个话题。作为看惯了岛内恶斗的他们来说，都很不喜欢现在大陆对台湾的过度意淫——尤其是最近两篇文章，一篇是韩寒的《太平洋的风》，另一篇是一个来台湾工读的年轻人所写的《台湾，就是我们中国本来该有的样子！》。

他们说台湾人虽然看起来很和善亲切，但是政治倾向的分化很大，一聊到党派的问题，可能一瞬间怒目相向，暗涌激烈程度如西班牙内战前夕。今天是太平洋的暖风，明天可能就是血流成河。

我忍不住想，大陆人对台湾的爱之深，有多少是源于对自己的恨之切？

台湾，没有经历过"文化大革命"，它是一个"什么也没有发生"的平行宇宙，是一个本该有的中国，一个最好的中国，一个顺理成章的中国。对台湾的向往，也是痛恨加诸自己政治遭遇的反弹。台湾人抱怨，我们便觉得这是身在福中不知福、饱汉子不知饿汉子饥。

可对台湾人来说，前有原住民的族群认同，后有日本殖民统治，才构成如今的特殊文化与"台湾模式"，并不能简单理解为"中华民国"的延续。

最近在大陆热映的《赛德克·巴莱》，媒体宣传为爱国抗日影片。其实，原住民的抗日，源于自身是土地的主人，保护自己的部落，并不是遗民保卫大清帝国的土地，更不是中华民族抗日史的一部分。赛德克以及其他原住民部落，抗清也抗中，对抗一切针对本民族的殖民强权。看到影片在大陆宣传为"向英勇抗日的台湾人民致敬"，觉得有些滑稽。他们的民族，却成了我们的主义。

话说远了，还说台湾。

在吃完晚饭到咖啡馆的十几分钟步行里，我的钱包丢了，不知道是掉在了路上还是被扒。打电话报警，两位年轻的警察很快就过来。吃饭的餐厅已经打烊，警察打电话协调看监控录像，说："那麻烦开下门啦，他们是'外国'来的……"

我一下子意识到，自己的"外国人"身份对他们构成了压力，一种要"弘扬国体"的压力。在餐厅，我第一次在警察陪同下看监控录像。一瞬间的兴奋竟然盖过了丢东西的沮丧。最后警察留下我的电话，说找到了钱包会通知我。

当然，我知道找到钱包的机会很渺茫。在回酒店的路上，司机知道我钱包丢了，说："你千万不要对台湾留下不好的印象。"

我说："当然。应该是我自己掉在路上。退一万步，哪个城市没有小偷呢？"

台湾人的确很好，温良恭俭让，亲切友善温和有礼。其中有多少是源于大陆人对台湾所投射的期望呢？而他们，正如钱永祥教授所说："台湾人正在努力做到大陆人所投射的期望。""换言之，大陆人乃是台湾人的'有意义的他者'。"

1945 年，日本战败，国民政府光复台湾。

当时，岛内人民莫不欢欣鼓舞，觉得终于迎来了"祖国"。因为，在抵抗日本人的压迫时，日本人一句通用的恐吓是："你们若不愿意做日本国民，返回支那好了。"因此，日本人的压迫越大，台人就越是向往祖国。

然而，如"欢迎国民政府筹备会"总干事叶荣钟所说："祖国只是观念的产物而没有经验的实感。"当国民政府真正统治，岛民却发现问题多多，在某些层面上还不如日本殖民统治。当时兴奋迎接国民政府的热血青年，在几个月后，就成了反抗国民政府统治的革命领袖。

国民政府，只是"观念上的祖国"。同样的，对大陆人来说，台湾大概也是一个"想象中的祖国"。就我看到的台湾，有原住民文化，有日本文化，而绝不仅仅是未死的民国，更不是未死的中华民族。

如现在还有相当部分的台湾人怀念日本统治一样，大陆人对台湾的"某种乡愁"，也是一意孤行、一厢情愿。

下午，我去了"二·二八"国家纪念公园。

如今，这里已经成了著名的同性恋聚集地。我了解"二·二八事件"，还是在《悲情城市》中。1947年，由台北一件私烟查缉血案而引爆冲突，市民请愿、示威、罢工，后来遭遇戒严、镇压、屠杀，大量意见领袖和市民或伤亡，或失踪，或流亡。

各方统计的死亡人数不一，从八百多人到三万多人不等。

"二·二八事件"，一直是台湾政治"敏感词"。直到70年代民主化运动之后，才解禁和平反。我在公园外的石碑上读到解禁后立下的石碑碑文，结尾是：

"勒石镌文，旨在告慰亡者之天灵，平抚受难者及其家属悲愤之情，并警示国人，引为殷鉴。自今而后，无分你我，凝为一体，互助以爱，相待以诚，化仇恨于无形，肇和平于永远。天佑宝岛，万古长青。财团法人二二八事件纪念基金会谨立。"

立下石碑的时候，距离"二·二八事件"已经将近五十年。真相和正义迟来了一些，可仍然是正义。在这个6月初的下午，我在台湾，第一次感觉和中国大陆距离如此之近。

2012年6月

附记：

这篇文章是我第一次去台湾所写的。

一年之后，我又去了一次台湾，闷热如旧，观感却有了不同。地方如人，一人有"若只如初见"，一地也得再三接触才一点点露出真实的样子。

第一次到台湾，落地的瞬间就能感到自己的欣喜和期待，我跟着一个庞大的采访队伍，目光所到的地方，像是一场演出，关于人间的和睦喜乐，所有人都尽力露出人性中最美好的一面，卯足力气笑着。

第二次到台湾，像是演出结束去了后台，看到演员卸了妆，竟然也会叼烟打牌骂脏话。

台湾人亦是抱怨民不聊生的，抱怨青年人否认失业率和高房价。我到台湾时，最热的社会新闻是一个年轻人在服兵役过程中被操练致死，看新闻揭露出来的真相，军界的黑暗并不比大陆更"温良恭俭让"。马英九参加这名年轻士兵的告别式，被群众怒骂，要求爬进灵堂，其中也依稀看出了"民粹"的一丝阴影。

台湾并不是我们的对比，而只是一种更好的可能性。

记录本身，即已是反抗

作家真正的恐惧，是被"国家"所魇住

　　"对一位作家来说，真正的危险，与其说是来自实在的迫害，不如说他可能被硕大畸形的，或似乎趋于好转——却总是短暂的——国家面貌所催眠。"

　　1987 年，布罗茨基获诺贝尔文学奖时这样说。

　　他出生于列宁格勒，早在青少年时期，他就给自己制定这样一个规则：不要降低自己的身份与国家体制发生冲突。这是几乎所有年少时就开始写作者的自觉：艺术，永远凌驾于意识形态之上，而写作，是一件再个人化不过的事情。

　　哪怕背过身转过头低下眉，不愿和政治对视，苏联政府也不允许这样的姿态存在。布罗茨基二十四岁那年，以"社会寄生虫"罪被判去俄罗斯北部最寒冷的地方进行劳动改造，天寒地冻，史前那些关于结冰和灭绝的记忆仿佛会出现在他身上，几年之后，布罗茨基被塞进一架飞机，被迫流放，最后辗转到了纽约。他说：

我们到这里不是为了生活，而是为了过完余生。

在所有获得诺贝尔奖的作家里，布罗茨基绝不是受迫害最深的——帕斯捷尔纳克即使给赫鲁晓夫接连写了几封软弱而谄媚的信，最终仍然只能被迫拒绝领奖。

然而，在布罗茨基看来，真正被迫害的痛苦并不可怕。可以通过顺从，把苦役和惩罚变得荒谬，这绝不是简单的精神胜利法。如《圣经》所说："要是有人往你右脸猛击一拳，就请把另一边也凑上去；要是有人想根据法律控告你，拿走你的外衣，你就把大氅也给他；要是有人想强迫你走一里路，就跟他走两里。"

最难忘《肖申克的救赎》里的镜头，是工作完的犯人们在屋顶喝啤酒，和煦的阳光打在他们的笑容上。此时的自由，并不是对他们经历过苦难的奖赏，而是他们为自己赢得的自在，为自己创造的解脱。

同样的，对一个作家、一个画家、一个剧作家来说，艺术提供了天然的武器——战胜囚禁、流放、羞辱等等。

作家真正该恐惧的，是被国家的巨大力量所魇住，被它的荣誉和拥抱收买，被它逐渐走向开明包容的幻想所欺骗。因为那将让他失去自我。

十几年后站上演讲台的莫言，不知道他所恐惧的是什么。

莫言是这个时代最有才华的演讲者之一，他的词句有让人信服和感动的奇异力量。去年他在斯坦福大学的演讲内容是："孤独和饥饿是我创作的源泉。"哪怕他当时已白胖如弥勒，他讲的故事仍让人如痴如醉。

今年，他的诺贝尔奖演讲词称自己是个讲故事的人，哪怕所有人都知道，他承担的国家形象、得到的毁誉、在政治时代中的承上和启下，都远远超越一个说书人。

有两个莫言：小说里的莫言，讲台上的莫言。

前者在嘲笑后者。

在我眼里，莫言最优秀的作品是他写于 1989 年的《酒国》。虽然这是他语言上最粗糙的小说，各种文体杂糅的实验也并不成功，但是他野心勃勃、胆大包天，对腐化滥情时代的预言精准得如同神谕。

小说写检察院调查员丁钩儿去酒国市调查吃婴儿的案子，酒国市是乌托邦，是索多玛城，是忽必烈汗修起的富丽的逍遥宫，官员的食量和欲望一样大，所有到这里来的人都无法拒绝权力和财富的诱惑。

小说中，作家"莫言"也被诱惑，造访酒国。他写道："体态臃肿、头发稀疏、双眼细小、嘴巴倾斜的中年作家莫言躺在火车卧铺上。我知道我与这个莫言有着很多同一性，也有着很多矛盾。我像一只寄居蟹，而莫言是我寄居的外壳。莫言是我顶着遮挡风雨的一具斗笠，是我披着抵御寒风的一张狗皮，是我戴着欺骗良家妇女的一副假面。有时我的确感到这莫言是我的一个大累赘，但我却很难抛弃它，就像寄居蟹难以抛弃甲壳一样……这个莫言实在让我感到厌恶。"

作者莫言冷冷地打量着作家莫言，没有人比他更厌恶自己。

不应该怀疑的是莫言的自省，他的虚伪、懦弱、经不起任何诱惑，没有人比他看得更清楚。

他在小说中不仅预测了国家的败坏，他甚至预测了自己的败坏。

作家有两个自我：实际生活着的，小说里的。两者的关系颇像鲁滨逊和星期五——一个是另一个的仆人；也像少年派和他的老虎——一个是另一个人的敌人和朋友。小说中的作家透过纸背审视创作他的人，直到他冷汗涔涔，只能坦诚相对。

"写作，充其量不过是一场孤独的人生。"（海明威）组织化的协会、日益增加的公众声望、接踵而来的赞美与崇拜，都会使作家褪掉孤独，成为平庸的人。海明威选择自杀，这并不是出于绝望，而是杀死已死的自己。

婚姻是爱情的坟墓，而荣誉和诱惑，则是写作者的坟墓。

对于莫言的指责，大部分都集中在他对政治的冷漠，选择性忽视的冷漠。莫言的辩护者则呐喊：让文学的归文学，政治的归政治！

不可否认的是，两者都有道理。对作家来说，拿起笔，对着白纸，写下第一个字的那一刻起，他面对的只是创作的净土。那时候，没有读者要求他负起社会责任，没有意识形态要求他背书，没有历史要求他做见证人。而当他的创作开始成功，一夜之间，社会忽然要求他对道德、主义、宗教、政治负责。

那么，作家和政治到底该保持怎样的距离？

有两类作家，一类是加缪式的。加缪曾说："当我只是一个作家，我将不再写作。"在他眼里，写作的过程就是政治抗争的过程。

另一类作家，是博尔赫斯式的。他一生避免与任何现世的斗争和意识形态挂钩，对于贝隆政府，他只是低下眼帘，盖住日益失明的眼睛说："贝隆主义不能说是对还是错，关键是他已无法改变。"

加缪为了承受历史的人民写作，这并没有减少他文本的纯净；博尔赫斯恪守一个写作者的本分，不额外承担任何社会义务，而丝毫没有降低他在文学史上的价值。

作家有权力保持自己的遗世独立，同时，他也必须和所生活的时代有某种同频的互动。这种互动，不是来自于意识形态的召唤，不是对苦难者的代言，不是推翻现有政权的野心，而是倾听自己良知觉醒的声音，诚实地把它记录下来。在北欧，这种声音也许诉说的是叶落花开霜起雪落的美；在苏联，这种声音诉说的也许是共产主义的冷酷；在非洲，这声音诉说的也许是种族战争带来的血腥。

记录本身，即已是反抗。

作家，可以为一片树叶哀恸，为一抔黄土作传，可以为一个无名的囚徒请命，可以为一场世界大战殉身。这其中，并无优劣高下之分。

作家没有改造社会的义务——他们绝大多数时候也没有那种能力。但是作家有以诚实反抗社会的义务，有以正直对时代保持悲观的距离的责任。

对于作家而言，比起改朝换代的革命，他更应该关心的是那些革命改变不了的，永恒的人类苦难。

2012 年 12 月

附记：

这篇文章是一篇日记，写于莫言得了诺奖之后，有感于网上很多关于"文学是否应该独立于政治"的争论。

在莫言得了诺奖之后，又在一些场合见过他，围观群众很多，照相的手机几乎要贴到他的脸上。他往往被各级领导簇拥着，面色疲惫地被要求"给大家讲两句话"。"诺奖得主"仿佛成为了一个稀奇的物件，谁都要凑热闹见一下，摸一下。

先勿论"文学是否应该独立于政治"，作家首先就无法独立于他的环境。

我去北戴河采访王蒙，王蒙说，如果北岛他们的标语是"我不相信"的话，那么王蒙们就是"相信的一代"。相信组织、相信国家、相信时代、相信一切都是好的，且正在变得更好。

他相信，因为不得不，因为身为作家的荣誉与命运，同国家的荣誉产生了千丝万缕的联系。

文学中的乡土中国

1934年，三十二岁的沈从文因为母亲病危从北平返回湘西。阔别十八年的家乡已经不是他记忆中美好纯粹的样子，湘西是陶渊明笔下《桃花源记》的灵感发源地，是遗世独立、平静祥和的家园，是中国古代对于乌托邦最早的想象。

重回故土的沈从文，却在给妻子张兆和的信中写道："这里一切使我感慨之至。一切皆变了，一切皆不同了，真是使我这出门过久的人很难过的事！"

故乡是用来怀念的，故乡是用来美化的，故乡是用来失望的。马尔克斯在成名多年之后，陪伴母亲回到他出身的小镇阿拉卡塔卡（也就是《百年孤独》中的"马孔多"小镇），他惊讶地写道："我的故乡仍是个尘土飞扬的村庄，到处弥漫着死人的寂寞。昔日不可一世的上校们只好窝在自己的后院悄无声息地死去，唯有最后一棵香蕉树为之作证。还有一群六七十岁的老处女，用下午两点的酷热浸湿她们汗迹斑斑的遮羞布……"

沈从文的失望亦如是，故乡的堕落是土地的堕落，是温情脉脉的儒家理想社会秩序的堕落。长达二十年的对外抗敌和内战，让农民的命运如浮萍般无助，性格灵魂也随之被压迫，战争动乱让他们失掉了平和正直的性格本质，而城市的浮华奢侈又让他们有了崇尚成功的价值观。沈从文失望地写道："敬鬼神畏天命的迷信固然已经被常识所摧毁，然而做人时的义利取舍是非辨别也随同泯没了。"

沈从文敏锐地察觉到，表面的巨大进步中蕴含的是堕落的趋势。家乡人的品德性格被一种"大力"所扭曲。这种"大力"，就是现代性的大潮大浪，它不可抗逆地席卷了黄土地与黑土地，改变了数以千年的乡村形态。

从家乡回到北平之后，沈从文开始动笔写《边城》，写一条溪、一个女孩、一条狗、一个漫长的梦。《边城》的写作是一种对于似水年华的追忆，对于美好时代的挽歌，对于乡愁的自怨自艾。沈从文知道乡村的失落不可避免也不可溯回，因此他在文学中，创造了一个想象中的过去。

不存在的故乡

1920 年，鲁迅最早提出"乡土文学"的概念，在《中国新文学大系·小说二集·序》中指出："凡在北京用笔写出他的胸臆来的人们，无论他自称为用主观或客观，其实往往是乡土文学，从北京之方面来说，则是侨寓文学的作者，侨寓的只是作者自己，却不是这作者所写的文章，因此也只见隐现着乡愁……（作者）在还未开手来写乡土文学之前，他却已被故乡所放逐，生活驱逐他到异地去了，他只好回忆'父亲的花园'，而且是不存在的花园，因为回忆故乡的已不存在的事物，是比明明存在，而只有自己不能接近的事物较为舒适，也更能自慰的……"

乡土文学发源于乡愁，而鲁迅也是其最早的践行者。

《故乡》表现的也是一个归人的乡愁，重返故乡后，乡愁反而更愁。记忆中的质朴，是如今的贫困；记忆中的天真，是如今的无知；记忆中的生机，是如今的野蛮；记忆中的平和，是如今的麻木。在离开故乡的时候，归人并没有什么留恋，只觉得失落和悲哀。

鲁迅的《故乡》写于 1921 年，那时还是山雨欲来风满楼的阴霾渐渐开始笼罩乡土，鸡犬相闻的小国寡民幻想已经破灭，然而取而代之的是什么，尚看不清未来与前路。待到 1930 年代，沈从文重拾乡土文学的命脉时，乡村的厄运已经异常清晰：旧的江山与皇帝被推倒，新的统治更加可怖。

沈从文写道："前清时当地著名的刽子手，一口气用拐子刀团团转砍六个人头不连皮带肉所造成的奇迹不会再有了。时代一变化，'朝廷'改称'政府'，当地统治人民方式更加残酷，这个小地方毙人时常是十个八个，全用枪毙代替斩首。"

面对让人万分痛苦的新旧交替，鲁迅和沈从文采取了同样的应对方式：他们在记忆里重塑故乡，追忆那些美好淳朴的人或事，把今朝和往昔穿插混淆，营造出一种"不知今夕是何夕"的氛围，让真实与虚构、记忆和现实变得无法界定。

而作家自己，则变得像一个故乡的导游，他们对于一草一木都是如此熟悉，对于一人一物都深知来龙去脉，但同时他们又是隔离的——他们不是乡村的一部分，而是向外来者和观光客介绍乡村的人。故乡在他们笔下显得熟悉又陌生，亲切而疏离。

国家民族的"寻根"

1940年初，毛泽东在《新民主主义论》中提出："我们要建立一个新中国。建立中华民族的新文化，这就是我们在文化领域中的目的。"

新的政权建立，需要找到新的文化为其背书，更需要找到一种新的民族形式，从而形成对外国的共同体，对内的归属感和认同。而"乡土"则刚好符合民族国家的象征，成为要寻找的"根"。

而在随后的《在延安文艺座谈会上的讲话》中，毛泽东进一步明确文艺发展的方向："我们的文艺，第一是为工人的，这是领导革命的阶级。第二是为农民的，他们是革命中最广大最坚决的同盟军。第三是为武装起来了的工人农民即八路军、新四军和其他人民武装队伍的，这是革命战争的主力……"

作为"一种乡愁"的乡土文学一下子成为了被批判的对象，因为它是为小资产阶级服务的，其中的怅惘和哀愁是不被允许，也不被认可的。故乡从一块浓雾弥漫的怅惘之地，一下子变成了周立波笔下的"暴风骤雨"，变成了赵树理笔下的热火朝天。

这种热火朝天背离中国自古以来的乡村社会甚远。《暴风骤雨》中斗地主，斗恶霸，分土地，挖浮财，起枪支，打土匪，最后掀起参军热潮。农民折腾个风生水起，折腾个天翻地覆。

然而，这并不是中国自古以来农民的样貌。费孝通总结中国农民的传统精神是"知足常乐"。他写道："种田的人明白土地能供给人的出产是有限度的。一块土地上，尽管你加多少肥料，用多少人工，到了一个程度，出产是不会继续增加的。"如果农民还打算贪得无厌，那就只有夺取别人的土地了，但是建筑不起安定的社会秩序。如人们还得和平地活下去，就只有克制自己的欲望。知足常乐不但成了个道德标准，也是个处世要诀。费孝通写道："因为在人口拥挤的土地上谋生活，若不知足，立刻会侵犯别人的生存，引起反抗，受到打击，不但烦恼多事，甚而会连生命都保不住。"

但在作家的笔下，并不能写出这种矛盾，也不能写出农民的挣扎与变动，解放区的天永远——且只能是晴朗的天。

在一片昂扬晴朗之下，那个时期唯一特殊的乡土写作莫过于萧红的《呼兰河传》。

"严冬一封锁了大地的时候，则大地满地裂着口，从南到北，从东到西，几尺长的，一丈长的，还有好几丈的，他们毫无方向的，便随时随地，只要严冬一到，大地就裂开口了。"

萧红的小说也如同一道裂缝，在一片激昂一片红的土地中撕裂开一个缝隙，从中可瞥见真实的人性与悲欢离合。

离开土地的乡土文学

1980 年，六十岁的汪曾祺重新开始写作，他重回四十年前的苏北乡下，写小和尚明海和农家少女的故事，汪曾祺说："我写的是美，是健康的人性。"于是，就有了一篇清新无邪、充满人性欢乐的小说《受戒》。《受戒》是重温了四十年前的一个旧梦，梦中的快乐是 80 年代不会有的，40 年代不会有的，那是孔子的时代才有的"思无邪"。

小说《受戒》开始了一个新的纪元。在此之前，小说是政治统帅下的小兵，枪指到哪儿就打到哪儿，如浩然的《艳阳天》《金光大道》，抑或是感伤粗糙的"伤痕文学"，文学之美以及田园牧歌式的题材已经失去了很久。

汪曾祺重新续上了一条中国现代文学断掉的血脉，那血脉是从鲁迅的《社戏》《朝花夕拾》，到沈从文的《边城》《长河》，再到萧红的《呼兰河传》。这条血脉，属于人性的美好，再度重拾精细刻画民生百态的写法。

《受戒》之后，乡土文学重回中国现代文学的主轴。

阿城写出了《孩子王》《棋王》，路遥写出了《人生》，莫言写出了《丰乳肥臀》，陕西有了贾平凹，湖南有了何立伟，山西有了李锐，山东出现了张炜。

作家又开始"寻根"，但这次寻根不一样的是，它并不是国家主导的寻找民族象征，而是文学要寻找它的发源和母题。乡土则成了最好的素材。

韩少功在《文学的根》里写道："乡土中所凝结的传统文化，更多地属于不规范之列。俚语，野史，传说，笑料，民歌，神怪故事，习惯风俗，性爱方式等等，其中大部分鲜见于经典，不入正宗，更多地显示出生命的自然面貌。"

阳春白雪的经典文化翻滚过城市，吸收了世俗文化的养分之后又流向乡野，潜伏演化，重焕巨大的生机。每个土地的断层都凝结着历史传承，每个庄稼的根茎中都隐藏着数年前的精灵，每个农民的生老病死的背后都有丰富智慧的痕迹和落尘。作家疯狂汲取了土地所提供的养料。

到了 90 年代以后，农民开始远离土地，"离土"让传统价值观日益衰落断裂。钱理群教授曾经写过这样一个令人无比唏嘘的故事：某农村，在"文革"时仍然保存着儒家的传统秩序，知识分子逃入乡下开设私塾，教授小孩读书，在动乱的年代，这里仍然保留着有条不紊的耕读文化。然而到了 90 年代，村里越来越多的人开始做生意，倒买卖，终于，村里的年轻人为了买卖木材而砍掉了村里的一棵千年老树。老树的轰然倒下仿佛是个象征，象征着某种价值观的彻底轰塌。连大的政治动乱都无法摧毁的道德传统，最终还是被经济利益所摧毁。

在乡土文学的写作中，满目疮痍的农村现状让作家难以再持续现实主义的写法。王安忆的《小鲍庄》，神话与现实交叉，谱写关于仁义的挽歌。阎连科的《受活》《日光流年》则以荒诞史诗的写法，谱写田园的狂想曲。

莫言的《生死疲劳》更是乡土文学的一个巨大隐喻。农民西门闹在土地上经历了六道轮回，最终安息的墓碑上写着："一切来自土地的都将回到土地。"

2012 年 11 月

附记：

这篇文章是为《新周刊》的专题《逆城市化——还乡或重建乡村的可能》而作。

说实话，我对于还乡躬耕陇田的可行性并不乐观，甚至认为这样一厢情愿地呼召是不道德的。

乡村只存在于想象中。我写文章，也会怀念和向往"温情脉脉的田园歌"，农村是冷漠城市的对照。但是过年回到老家，一切幻想都被打破了，"田园歌"变成了肮脏灰暗的房舍和泥泞的道路，人也随之变得狼狈和灰头土脸。

每当这时，我就想到了几十年前上山下乡的知识青年们。充满理想的年轻人很快被现实打得七零八落，在生存线上进行着挣扎。他们当然不满意这种现状，要摆脱"落后"的群众，打破旧道德，建立新世界。

当然，这个理想很快也倒塌了。几年之后，知青们回到了城市，在农村待过的经历成了一种苦难的勋章，挂在胸前。创作，是一种寄托。土地，是一面顾影自怜的镜子。

"文学中的乡土中国"是片面的，也是自私的。

中国作家梦魇

去海口见马原。

缘起是一个纪录片项目。二十年前，马原做过一个《中国作家梦》的记录，采访了一百一十个作家，内容有关他们那时候的生活和写作状态。

如果你把它看做中国版的《巴黎访谈》，那就错了。在《中国作家梦》里，作家们聊得最多的，不是"你觉得卡夫卡和海明威谁对小说语言的贡献最大"，而更类似于"你觉得王朔和苏童谁更有钱"。

在当时的采访里，有几个问题是被问得最多的："你家住多大的房子？""你的稿费是多少？""你海外版税能拿多少？"

那时候的铁凝，语气中有可以想象的天真情态："我爱音乐，爱做菜，爱芭蕾。""我的菜做得很好，我写的小说不能赚钱，我还可以开个饭馆。"她当时是河北省作协主席。

那时候的刘心武由于《班主任》《5·19长镜头》等一系列针砭时弊的小说，而成为时代最红的作家，他已经在大谈文学商业化的前景和文学作品的影视改编。采访过后的一年，他转入红学研究。

那时候的余华还住在宿舍，他一边挠着腿一边说："我就想写出霍桑的《红字》那样伟大的作品。"一年之后，《活着》出版了。

回看过往，有趣的是和今朝的对照。时代弄潮儿们也曾风生水起，坚守者们也曾守得云开。今日的命运和当时的豪言遥遥呼应，中间隔着中国文学失落的二十年。

失落的二十年，相对的当然是黄金的80年代。70年代，政治压制的年代中，有知识有文化的少年人被放牧至管理相对松散的乡村，阅读贫瘠，思想却自由，翻过几座大山只为了促膝短谈。

禁忌压抑的70年代过去，在大环境的鼓励和默许下，思潮反弹式地井喷而出，王蒙说那时候的作家"各领风骚三五天"。

先锋写作兴起，作家们自封东邪西毒南帝北丐。那时候更像是文学上的大跃进，作家们都是兴奋而乐观的，觉得照这样下去，三五年之内就够赶超英美。二十年后，马原才承认，欧美文学发展了几百年，中国白话文写作才不到一百年，与自己师承的欧美大师"齐肩"，岂是我辈、我后辈、我后后辈能完成的？

80年代的作家们是明星，他们既拿着体制内的工资，又有额外的稿费收入，周围没有什么人下海致富，他们的生活相当优越。不仅如此，每当一部小说出版，就会像现在又出了一部宫斗剧一样引起社会范畴的反响与讨论。作家走在街上，会被粉丝拦住，热情地讨论他的作品。伍迪·艾伦梦回的巴黎，在中国也曾出现过。

然后是1989，80年代提早一年结束了。那一年的小说里，我印象最深的是张承志的《西省暗杀考》，小时候读，觉得哪里是书写，简直是一碗热腾腾的刚歃了的血。

马原做采访的时候，刚好处于"时间结束了"这个戛然而止的时候。他想做文学的断代史，他意识到虽然这些作家还处于创作的盛年，但是有些东西改变了，永久地、不可逆转地。

文学的式微自此开始，虽然接受采访的大部分作家对此还毫无察觉，可从他们反复询问彼此的稿费和收入的焦虑，大概也能窥得端倪。

我没有想到的是，马原会把这次采访当做人生中的一次败笔，这部花了两年录制的纪录片不仅没有卖出去，还让他中断小说写作，一中断就是二十年。

那之后沉默的不止是一个两个。

鲁迅讲过最残忍的故事，不是《娜拉出走之后》，而是《在酒楼上》：革命人永远是年轻，也只能是年轻，为了理想永远热泪盈眶不是作秀就是乡愿，热血总会化为虚无啊。五四时候充当启蒙者的进步青年吕纬甫，在坠入现实生活后变得颓唐失落。

吕纬甫说："我在少年时，看见蜂子或蝇子停在一个地方，给什么来一吓，即刻飞去了，但是飞了一个小圈子，便又回来停在原地点，便以为这实在很可笑，也可怜。可不料现在我自己也飞回来了，不过绕了一点小圈子。又不料你也回来了，你不能飞得更远些么？"

马原也飞回来了，他时隔二十年又写了新小说。他如今患了绝症，在海口养病，房子正对着海。我去海口那几日刚好下大雨，乌云铺天盖地扑向海，只间隔一条细细的白线，这样的末日不知道是不是日日上演。比他小三十岁的妻子是海南本地人，运动员出身的修长四肢，眼如小鹿，抱着他们精灵可爱的儿子。这画面已经像是小说开篇。

马原这二十年和作家少有来往，最近的一次相聚是因为隐居云南的作家洪峰被打，吹响了作家的集结号，余华等作家纷纷奔赴云南探望。

马原有些欣慰地说："当地的政府，对我们的态度很好。还是比较害怕我们这些作家的影响力。"

我听了，却觉得非常非常难过。大概是因为刚刚追忆完黄金的 80 年代——虽然马原也认为那是不正常的，如今在一个村政府暴力后的安抚中便得到安慰。

中国作家梦，从与欧美大师齐名的梦，变成了畅销赚钱的梦，到最后，退守成了陶渊明的"田园梦"。

——"田园梦"也不得啊，阎连科老师的房子亦被强拆。看他写的《丧家犬的一年》，看他写维持尊严的困难，写怪诞悲惨的人生，不再能给他力量，而只有无力和灰心。与强权对抗是死，不愿与野蛮文明直视的自我放逐也不得。作家的责任是什么？格雷厄姆·格林曾说，他不希望对社会上其他受害者负特殊责任。但是，他想作为一个作家，起码有两项义务：一是根据他自己的观察来反映真实情况，二是不接受政府的任何特殊优惠。而现在，以上两点似乎都需要具有格外的道德标杆和格外的勇气才能做到。

中国作家梦啊，到现在还没醒，早就成了梦魇吧。阎连科老师前段时间发短信说："已经在写新长篇了，心也慢慢安静下来了。"在梦魇中，恐怕也需要继续写作吧，因为那也需要有人记录。

2012 年 4 月

附记：

这篇文章是一篇日记，去海口采访完马原而作。

再次见到马原是一年半以后，在广州某次作家活动的饭局上，同席的还有苏童、麦家、翟永明、阎连科等中国作家。翟永明老了一些，大眼睛依然晶亮，拿着相机照这些多年未见的老朋友。

我悄悄问阎连科老师："这像不像回到了八十年代的笔会？"

如今的作家们，分享的是彼此的养生之道，以及收藏海南黄梨木的经验。

诺贝尔文学奖得主库切曾经抱怨过："如今，在公共场合下，我扮演的角色是所谓的知名人物（那种没人能一下子想得起来的知名人物），这类显赫角色被人从哪个储藏柜里找了出来，掸去灰尘，把他们拉到某个文化场合扯上几句，然后再搁回。"

当然，中国作家们并没有停止写作，每隔一两年仍然会出版新作，捕捉"中国当今的现实"。

社会的复杂和快速变化，为作家提供的是深埋在沼泽中的宝藏。不愿花气力的作家，猎奇表层的荒诞现实，得到"道德败坏""价值观混乱""信仰缺失"的简单结论。愿意深入生活的作家，才能寻找到深层的真实。

我们的谎言是纯净的

从前有一个小男孩，居住在世界上最不公平的谎言国度里，每天早上穿越过静卧的河流和贴满领袖肖像的墙，上学去。他坐在教室，打开课本，抬起头，定下心准备聆听一番胡言乱语。

很多年之后，这个小男孩被这个国家驱逐，在异乡写作，用笔写下对祖国的爱与憎恶，审判喂养自己长大的所有谎言。

这个小男孩是诗人布罗茨基，也是作家尤里·德鲁日尼科夫。

苏联作家德鲁日尼科夫从小就是一个叛逆者，在高中毕业的历史考试中，他因为"在说明斯大林同志内战期间的作用方面犯了错误"，被莫斯科所有大学拒绝，辗转多年才走上写作的道路。

德鲁日尼科夫的成名作是《告密者001号：帕夫利克·莫洛佐夫的神话》。帕夫利克是苏联家喻户晓的小英雄，地位大概比中国的赖宁还要高，无数少先队员为他流下泪水，无数作家为他颂歌，成千上万的纪念碑刻上他的名字，邮票和明信片上都印着他的像。

帕夫利克的主要功绩是举报了他的父亲——某村苏维埃主席。他父亲帮助富农，抵抗农业集体化运动，帕夫利克的举报让父亲被定罪，被逮捕和被判流放十年。而帕夫利克也为"义举"付出了代价：他和其他四个亲戚一起，被"反革命分子"谋杀在森林里。

　　随着帕夫利克被树为道德楷模，告密成为政权提倡的光荣，随即演化成了浩浩汤汤的大清洗运动。

　　德鲁日尼科夫从 80 年代开始调查这个小英雄的故事，用十几年的时间发现了真相：帕夫利克的父亲离开了他的母亲另结新欢，嫉妒和愤怒的母亲一直向帕夫利克灌输对丈夫的仇恨，派他告发，报复了自己的父亲。而帕夫利克则是一个智力迟钝的孩子。

　　作家还发现了最惊人的真相：杀害帕夫利克的，并不是官方宣传的"反革命"，而是国家政治保卫局。

　　帕夫利克被一群无情的大人操纵着出生和死亡，直到成为了冰冷的塑像都没有抵抗的权利。1991 年苏联解体之后，他的塑像——和其他所有伟人与罪人的塑像一起，被一根细钢丝穿过单薄肩膀，拖入苏维埃博物馆。

　　在写完《告密者 001 号》之后，德鲁日尼科夫又写了小说《针尖上的天使》。

　　《针尖上的天使》讲述的是赫鲁晓夫时期一个报社编辑部的故事。主人公《劳动真理报》的总编马卡尔采夫的桌子上被人放了一本禁书，他看了之后患上心肌梗塞。小说讲的就是他从住院到死亡的短短六十七天的故事。

故事写法很有意思，它是由层出不穷的人物推进，从司机、打字员、摄影记者、克格勃到最高领袖。其中最有趣的是泌尿科专家，他专门治疗最高领袖的阳痿和花柳病，掌握了这个国家最高层面的机密。

每个人物都有自己的人事档案、证件、表格和自述，以及小传等等。所有人都有一个默契，那就是说谎和聆听谎言的默契。简单的马克思主义是刷在墙上的标语，没有几个人真正信奉，大多数人都是被动接受。

小说所写的《劳动真理报》只有一条原则——无论世界上发生了什么，订报人应当读到的是：我们的国家一切正常。

老记者拉伯波尔特向年轻的摄影记者炫耀自己按照上级指示杜撰出各种假英雄，想象出各种全民的狂欢。他说："我的谎言是纯净的，不掺和一丝真相。"

年轻人问他："你不惋惜自己的才华吗？"

拉伯波尔特说："不，右倾的思想我用左手写，左倾的用右手写，而我自己完全是中间的。"

放在当时的现实背景下，或许我们可以理解拉伯波尔特这一套堪称辉煌的自欺欺人。徐元宫在《苏联时期的书报检查制度》一文中考据：全面恐怖时期的苏联，书报一共要经过五道程序的检查：1. 自我审查；2. 政治编辑的思想政治审查；3. 报刊保密检查总局的书刊检查；4. 秘密警察机构的惩罚检查；5. 由党的领导进行最后的意识形态审查。

所有铁路事故、空难和生产过程中的不幸事件，都被当做秘密，不允许报道。甚至连关于天气的消息也是秘密，民众只能知道未来三天以内的天气，而且获知的永远是令人愉快的晴朗。

那么真相呢？人们关心真相么？虽然人们经历过长久的蒙蔽和自我欺骗，已经不再追问真相，甚至当公正的太阳终于照耀着它的时候，人们已经不再感兴趣。可贯穿《针尖上的天使》一书的，仍然是一部关于真相的手稿。

引发主人公心肌梗塞、最后死亡的禁书是库斯汀公爵写的一本《1839年的俄国》，书里描述了几百年前的俄国人：俄国人是世界上最好的演员，刚刚来得及告别，已经在忘记你，只顾眼前并且忘了昨天想的事情。他们活着死去。他们创造不是为了取得对其他人有益的结果，而仅仅是为了奖赏。他们不知道创造性激情，他们不知道创造一切伟大事物的热情。气候消灭体质弱的人，政府消灭道德软弱的人。生存下来的是野兽的人以及无论行善还是作恶中的强者。

就是这本书，让所有阅读的人都惊骇万分。在所有人都表演的时候，仍让他们惊醒的，恐怕只有一面镜子。

荷兰哲学家伊拉斯谟在《愚人颂》当中假设了一个经典的境况：人生如戏，人人都在扮演着一定角色。有人没有意识到自己在演戏，把戏演完；另一种人，发现生活原来是一出戏，就努力离开舞台。第二种人错了，因为剧院以外，什么也没有，没有另一类生活在等着你。这场戏是唯一的演出。

我想，大概是伊拉斯谟错了。努力离开舞台很难，但是并非不可能。如同德鲁日尼科笔下在赫鲁晓夫时期仍呼唤社会改革的人，虽然艰难，虽然根本不被任何人所看见，虽然努力的效果微乎其微，他把他们叫做"针尖上的天使"。

2012 年 9 月

附记：

这篇文章是为小说《针尖上的天使》所写的书评。

作者在写这本小说时，丝毫不做它有朝一日被出版的希望。有本书叫做《地下——东欧萨米亚特随笔》，搜集了上个世纪五十年代以来，东欧的知识分子反抗体制的声音。"萨米亚特"一词来自俄语，意思是未经官方许可的出版物。

这些出版物被阻止出版、被搜查、被没收、被销毁，可还是层出不穷，在谎言编织的日常生活中撕开关于真相的裂缝。

多亏有这些"针尖上的天使"，如今的我们才能瞥得昔日的苦难，并从中找到反抗的勇气。

在这个世界上，我们孤单做伴

一个九十岁的嫖客，在一个沉睡的十四岁雏妓的身旁醒来，用唇膏在她卧房的镜子上写道："亲爱的姑娘，在这个世界上，我们孤单做伴。"

以上情节，出自马尔克斯的最新小说《我那些苦难婊子的回忆录》(*Memories of My Melancholy Whores*)。小说的主人公出生于中产家庭，一辈子没有老婆、没有事业、没有钱，他在父母留下的老旧房子里居住了将近一个世纪，他当过记者和拉丁语老师，现在靠退休金和在一家报纸写周日的专栏勉强度日。

在他九十岁那天，他想送自己一件礼物——和一个未成年处女狂野的一夜，这欲望来得如此汹涌，他联系了相熟的鸨母。当天晚上，他走入一个妓院的房间，躺在床上的，是一个赤裸的、全身汗光粼粼的十四岁少女，温柔热烈如小斗牛，她服了迷药，所以昏睡不醒。

主人公吓得不知所措，只想逃跑。作为一个男人，他并不是毫无经验的。相反，他九十岁的人生丰富浪荡得很：他到五十岁的时候，就已经睡过五百一十四个女人，不过，其中没有一个是不要付钱的：即使女人不要钱，他也会强迫她收下，把她变为妓女。他很早以前曾经订婚，但是在最后一分钟逃婚。他一生不愿意负责，哪怕是对一只猫。

他生日那一晚，并没有和这个少女上床——老鸨因此嘲笑他。与上床的满足相比，他被一个更大的结论所震惊：在这个十四岁的妓女身上，他找到了真爱，九十岁以来的初恋。

老人爱得发狂，他变了一个人，他每晚去找这沉睡的处女，在她简陋的房间里布置上油画和书籍，在她耳边轻轻吟唱和讲解动人的诗，他吻遍她的身体但从未交合。他变了一个人，发现运转和影响世界的力量，是爱。不，不是那种皆大欢喜的爱，而是各种形式的苦恋和单恋。

老人改变了自己的专栏，无论是什么主题，他为她而写，他为她哭，为她笑，为她把自己的生命浇铸在每个字符里。他把每篇专栏变成了每个人都有共鸣的情书，因此阴差阳错地获得了事业上的最大成功。

白天，这个小处女到工厂上班、缝纽扣，晚上，则回到妓院忠贞地躺在床上，却从来没有见过这个老情人的模样，也对他的爱恋几乎一无所知。

按照马尔克斯的标准衡量，这并不是他最精彩的小说，首先，它篇幅并不长，只是一篇中篇小说。然而与《一件事先张扬的谋杀案》相比，它也没有密实的叙述，令人炫目的结构。可是，它确实是马尔克斯最勇敢也最古怪的小说，像是纳博科夫的《洛丽塔》和川端康成的《睡美人》的结合。最邪恶的娈童癖，和最纯洁最无私的爱恋的结合。

九十岁的男主人公，面对一个沉睡的处女，是如此的惶恐和无助。她代表了青春、生命力、激情和不可知的未来，而老人，则已经被衰老、性、死亡这些概念如海草一样纠缠，无法自拔。大师如马尔克斯，在此刻也与他笔下这个一事无成的小小专栏作家毫无二致。主人公被少女所控制，是马尔克斯被"死之将至"的念头所控制。主人公面对少女的无助，是马尔克斯面对每天失去自己寿数的无助。

无论在《百年孤独》还是《霍乱时期的爱情》里，马尔克斯都在传递着一个想法：不要以为年纪老了，就不该谈恋爱，这是大错特错的，人就是因为不再恋爱，才会衰老。

然而在《我那些苦难婊子的回忆录》里，这来得太迟太迟的爱，却是一种惩罚，一种加诸自身的道德惩罚。

面对着这个小妓女，他直面了自己过去的一生，那些窝囊、堕落与卑劣。对小妓女近乎绝望的爱，是一次对自己迟来的革命，交付了自己扣押一生的全部灵魂与爱恋。

这让我想到历史上最著名的浪子卡萨诺瓦，他在玩弄女人这件事上从来不曾失手，无论是最矜持的修女还是最高贵的夫人都臣服于他，然而，在他人生的最后放纵里——其实也不过是四十岁，他却被一个年轻精明、人尽可夫的小妓女所玩弄，他花费了很多钱和精力来讨好她，她却不让他近身一寸。这种被玩弄，也是潜意识所做的选择，是一次自我惩罚，一次道德回归，一次游戏临近尾声时候的忏悔。

《我那些苦难婊子的回忆录》的结尾，多少是让人有点失望的。当老人九十一岁生日到来的时候，他不能在死前"和心爱的女人从未干过"。于是，他把自己全部的财产都赠送给他的女孩，而鸨母宣布，那年轻的小妓女爱他爱得发狂，这将死的老人，感到自己终于有了新生命。

在这里结束，是因为马尔克斯对自己的衰老，不愿意太残忍。而如果再写下去，这故事也许会变得更精彩：次日清晨，少女第一次在曙光中看清了自己的爱人，看到他羞耻、悲伤、寒冷，像一条被扒光的鱼。

2012 年 11 月

附记：

这篇文章是为加西亚·马尔克斯最新小说《我那些苦难婊子的回忆录》所写的书评。

小说没有中文版，我自己花了半个月的时间从英文版翻译过来，没有版权，自然是不能出版或发表的，只是给一些朋友看看。

看看，其实是好奇八十岁的马尔克斯笔力如何，尚能饭否？这篇小说是马尔克斯对川端康成小说《睡美人》的改编再创作，几乎一样的故事，两位大师写出来的感觉却完全不一样。

川端笔下作为主人公的老人，是冷静而奇诡的。马尔克斯的主人公"我"却非常纯情而可悲，对小妓女的炽热的爱折磨着他，惩罚着他。然而小妓女是永远沉睡的、无知的、无辜的，惩罚者是老人自己。

这篇小说写完后不久，马尔克斯就得了老年痴呆症，忘记自己写过《百年孤独》，多么酷又合理的收梢。

达尔文改变中国

要是评选其思想对现代中国影响最大的外国人，恐怕不是马克思，而是达尔文。从小孩到老人，几乎所有中国人都承认进化论的生存法则，都能朗朗说出"发展才是硬道理，落后就要挨打"这样的句子。

达尔文一生没有踏足过中国，他的学说在自己的祖国甚至受到抵制和怀疑，为什么中国人那么喜欢他？那么轻易地就接受了他？

汉学家浦嘉珉写了《中国与达尔文》这本书来回答以上的问题。

达尔文学说进入中国是在晚清，当时，中华文明在坚船利炮的轰隆声中，突兀地、被迫地进入世界近代化语境，开始了第一次全面的自我怀疑。儒家乐观主义忽然无法自圆其说，天变了，道自然也要跟着变。

那个时代最精英的头脑开始选择出国留学。晚清留学生急切地想要把学习到的西方思想，作为艰难时世的圣经引入中国，可他们对"真经"的认识，多多少少会由于这种恨铁不成钢的心态而导致偏差。

严复把赫胥黎的《进化论与伦理学》翻译为《天演论》，引入中国。严格说起来，严复的老师，并非达尔文，而是社会学家斯宾塞。斯宾塞在达尔文《物种起源》发表之前七年，就提出了社会进化的思想，认为进化是一个普遍的过程，他认为人有优等种族和劣等种族，劣等种族应该在竞争中被淘汰。

严复读到斯宾塞的著作，顿时觉得找到了中国落后的原因，就是因为缺乏"物竞"而导致的积贫积弱。中国自古不喜"争"，严复就发觉必须斗争，如果旧制度在斗争中失败，那么就说明它本身是落后的，该被淘汰。

在翻译《天演论》的过程中，严复不自觉地在其中加入了这种社会达尔文主义的"私货"，又背叛了斯宾塞反对政府干预，提倡个人主义、自由主义的原旨。

对达尔文学说最大的异化，来自梁启超。梁启超是《天演论》的第一批读者，他对其中的学说大感惊奇和兴奋，他首先把《物种起源》中关于物竞天择的理论，简单理解成为了种族理论，在《时务报》中写道："彼夫印度之不昌，限于种也，凡黑色、红色、棕色之种人，其血管中之微生物，与其脑之角度，皆视白人相去悬殊。唯黄之与白，殆不甚远。"

随着梁启超慢慢接受了种族优劣的学说，他又开始进一步反对"天赋人权"的说法，在《现今世界大势论》中，梁启超阐述天下只有强者有"权利"，无平权，把"绝对强者逻辑"强调到了极致。

随着梁启超等人对达尔文学说的推崇，诸如杨度"金铁主义"的学说也开始在中国深入人心。所谓"金"就是黄金，"铁"就是铁炮。这些愈发加深了对"强者为王"这一理念的强调。

事实上，中国对于社会达尔文主义并不是没有反思。

1912年5月7日，辛亥革命后几个月，孙中山讲话中说："二十世纪以前，欧洲诸国，发明一种生存竞争之新学说……此种学说，在欧洲文明进化之初，固适于用。由今视之，殆是一种野蛮之学问……诚以强权虽合于天演之进化，而公理实难泯于天赋之良知。"

然而，这种反思并没有持续多长时间。1917年，十月革命为中国送来了马克思主义。

达尔文学说和马克思学说殊途同归，都是认为"竞争"（马克思所说的"斗争"）在社会变化中起了决定性的作用。

历史是前进的，新的推翻旧的，凡是新的，必然是进步的——共产党在马克思学说中找到了"造反有理"的理论基础，才能如此理直气壮地喊出"无产阶级专政"的口号。浦嘉珉认为，到了中国之后，达尔文"使暴力变革和暴力革命合法化"。

就这样，达尔文在中国的传播，以一步步加剧异化的过程，构成了中国人现在的价值观："谁赢就跟谁""国家之间的竞争就是综合实力的竞争"。力量取代了道德，成为了社会权威的标杆，达尔文花了极短的时间就改变了中国。

2012 年 7 月

附记：

这篇文章是为《中国与达尔文》一书所作的书评。

书很厚，但是非常有意思。作者浦嘉珉研究了达尔文学说在中国的传播和接受过程，尤其是原典被翻译者严复"夹带私货"地做了改动，其后又被梁启超、康有为等人异化，然后，变成了如今中国几乎人人接受的真理。作者认为被异化的达尔文学说，是此后革命派行动的思想来源，也为马克思主义学说在中国的传播铺平了道路。

博尔赫斯有一篇晦涩的小说，叫做《〈吉诃德〉的作者彼埃尔·梅纳德》，小说的主人公梅纳德是一位当代作家，他认为《堂吉诃德》"起初是一本有趣的书，现在却成了表现爱国的精神、文法的傲慢、奢侈的豪华版的工具"。于是，他花了漫长的日日夜夜，去重写一本早已存在的书。他对原作进行了看似毫无改动、实则差之千里的修改。

梅纳德是一个虚构的人物，然而在现实生活中，我们面对一些早已接受的常识时能否做到毫无质疑？《道德经》的作者是谁？《礼记》到底写于何时？《论语》的内容哪些属于孔子，哪些是后人添上的？

是否存在一种可能：我们笃信不移的典籍全是虚构的？或者，至少是被扭曲改写过多遍的？我们奉为神明的，其实是无数个伪经制造者。这种可能性，让我觉得可怖的同时，也觉得异常刺激。

纸上的街道

城市血管

人生活在城市中，肉身的影子被钢筋水泥切割成多个碎片，时间和视野被局限在屋梁之下，很少有俯瞰自己生存环境的机会。如果在历史的纵深中悬挂一张大大的地图，会发现城市不仅是国家的景观，它是文明的价值观。

罗兰·巴特在《符号帝国》里写道：西方城市的中心，常常是满满的，一个显眼的地方，文明社会的价值观念在这里聚合和凝聚：精神性（教堂）、力量（官署）、金钱（银行）、商品（百货公司）、语言（古希腊式的大集市，咖啡厅和供人散步的场地）。他说："去闹市区或是到市中心，就是去邂逅社会的'真理'。"

而在东京，他看到的城市中心却是空的——围墙、河沟、屋顶、树木围绕着一个密不透风的环形领地。"这个环形领地自身的中心不过是一个空洞的概念而已，它的存在，不是为了炫耀权力，而是为了以它那种中心的空洞型来支持那整个的城市运动，迫使车辆交通永远要绕道而行。"

西方信仰人的力量，日本相信虚空中有神魔，这就造成了城市中心的不同。

再看中国，葛兆光在《宅兹中国》里写道，明代方志图中重点凸显的是代表政治权力的官府衙门、代表宗教权力的宗教寺庙、代表文化经济权力的学宫官仓。这亦是代表了中国古代的意识形态——崇拜权力的威严，大"公"无"私"，目中无"人"。老百姓的私人空间在士大夫所绘制的地图里缩减渺小，丝毫不重要。

哲学家索尔兹伯里把城市比作人的身体。他认为城市的宫殿和大教堂是城市的头，市中心的市场是胃，城市的手脚则是民房。人们在大教堂中必须缓慢移动，因为头脑是用来思考的；在市场中必须快速移动，因为胃里的消化是迅速的。

按照索尔兹伯里的想法往下延伸，城市的血管自然就是街道。

动脉是宽阔的马路，每天早上把汹涌的人流送离城市中心，人流分开，越分越细，每个人安身于自己的归宿。静脉是窄窄的民巷，人们从贫民窟、别墅、阴暗的地下室和明亮的公寓出发、汇合，来到城市中心，启动这个巨大社会永动机的运转。

18世纪欧洲的城市设计者接受了现代医学的观点——"如果大量流动，那么没有东西会坏死"——细致规划和划分街道。

在设计师规划之前，城市的血管是堵塞的。社会学家理查德·桑内特在《肉体与石头——西方文明中的身体与城市》中描述中古时期的巴黎，几乎所有屋主都会违规修建越界建筑，把自己的房屋无限拓宽，让街道变得非常狭窄，几乎只能说是建筑物与建筑物之间所残留出来的一块空地，仅容一人通过。街道，是一块人们在主张权利与权力之后所剩下来的空间。街道，是私人欲望和公众道德之间一条微妙的界线。城市设计者限制私欲，拓宽道路，为公共利益考虑可也夹杂着算计。比如19世纪的都市设计让城市中大量个人可以自由移动，却让团体无法移动，尤其是法国大革命时期那种革命团体。巴黎的街道经过精密的计算，宽度可以让两辆军车并排通过，必要的时候，还可以向街道两旁的社区开火。

映像街道

亚里士多德在《政治学》中写道："城市是由各种不同的人所构成：相似的人无法让城市存在。"

城市大而无名，生活在其中的人都可以随心所欲地变化身份。所有人互为生人，高耸的建筑让所有人的物理距离前所未有地接近，心理距离前所未有地疏远。每个人在各自的隔间中发生着隐秘的故事，可彼此的隐私却又时刻处在暴露的危险之中。

城市让"遗忘"变成了非常容易的事情。不再相爱的恋人、不想要的朋友、不愿意有瓜葛的家庭成员都可以在一个转身之间沉入茫茫人海，也许此生再不必相见。甚至连自己，也可以在实在不愿意面对自我的时候，放逐丢失在城市之中。

难怪本雅明常常用"迷宫"来比喻城市。他在《柏林童年》中写道："在一座城市中不辨方向，这说明不了什么。但在一座城市中使自己迷失，就像迷失在森林中，却需要训练。对于这位迷失者，街巷的名称必须像林中枯枝的响声那样清脆，市中心的小巷必须像峡谷那样清晰地映射时辰。这门艺术我谙熟甚晚。它终于使我的那个梦想得以满足，梦想最初的痕迹是我涂在练习簿吸墨纸上的迷宫。"

作家是梦游者，城市迷宫是他最好的游乐场。普通人在街道中穿行的目的是为了到达，因此会采用各种交通工具，一路飞驰，望向窗外的眼神没有焦点。而作家则多爱步行，每一个橱窗、每一个商铺、每一个飘出乐曲的半掩的门和透出灯光的窗户都成了窥探的对象。漫游、驻足、发呆，再继续漫游，眼前的景色变化如无数信息碎片，作家必须长时间如流浪汉一般游荡，如私家侦探一般追寻线索。

即使不为了写作的目的，在街上漫步也是好的。歌德在《意大利之歌》里描述散步的美妙："在汹涌推挤而不断前行的人海中晃荡，是一种奇特而孤独的经验。所有人都汇入这一条江河中，但每个人却都极力想找出自己的出路，在人群之中、在躁动不安的气氛里我第一次感到平静与自我。街上越是嘈杂而喧闹，我就越安然自得。"

作家在街道上的一步步足迹给城市游览多了一条隐蔽的线索，迷宫也因此有了一个个标地。

爱尔兰首都是都柏林，这里曾经出过贝克特、萧伯纳、叶芝等大文豪，可是被提及最多的，却是乔伊斯。爱尔兰人甚至为《尤利西斯》的主人公布鲁姆创立了"布鲁姆日"。《都柏林人》中的那些街道也还在：椭圆酒吧、穆里根酒吧、奥尼尔酒吧，等等。

爱尔兰人如此看重乔伊斯，大概是因为他为都柏林这座城市画像立传，让每个寂寥的街道都找到了自己的灵魂，每个匆匆的行人都有了属于自己的自传。

然而多少有些讽刺的是，乔伊斯很早的时候就离开了都柏林。大学毕业之后，乔伊斯就因为痛恨天主教而离开了当时动乱的都柏林。离开的时候，他开启了自己记忆的感官，开始写由十几个短篇组成的众生相《都柏林人》。

他这样写自己的写作初衷："我的打算是写一章我的国家的道德史，我选择都柏林作背景，因为那城市仿佛是瘫痪的中心。我试图从四个角度将之呈献给冷漠的公众：儿童期、青春期、成熟期和公众生活……其中大部分我以一种一丝不苟的刻薄风格写。"

虽然乔伊斯自视为刻薄的，可记忆仍然为笔下的城市蒙上了一层温情脉脉的面纱。几十年的颠沛流离反而让他离故乡越来越近，反复描红勾勒那条儿时成长的街道。

儿时成长的街道会让作家记忆如此深刻，远远超过了他们自己的想象，无数细节会在出乎意料的时刻忽然如幽冥出现。

同样是流亡作家的布罗茨基生长在列宁格勒，他对这座寒酸脆弱的城市并没有什么好感。肮脏的居住区、破旧的通道和混乱的院子，革命的火焰给这里带来的只是破败的废墟。

然而布罗茨基在回忆起自己童年行走过的街道时，却这样回忆无数次打量过的路旁建筑："这些楼房的圆柱或是壁柱上雕砌着神话动物或人物的头像。实在说，我从这里，从它们的雕琢装饰，从支撑露台的女像柱，从门道两侧壁龛中无首无臂的胸像上所了解的有关我们这个世界的历史知识，比我后来从书本上学到的要丰富。希腊、罗马、埃及，这里全有，而且它们在轰击中全部经受了炮弹片的砍凿。那流入波罗的海的灰暗、波光粼粼的河，偶尔驶过的在激流中奋争的拖轮，比数学家和季诺教了我更多的关于无穷和斯多喀的学问。"

没有人比作家对城市更为熟悉。

雅努什则在《卡夫卡对我说》中这样写道："我经常为卡夫卡对这座城市的各种建筑物有着这么广博的知识而吃惊。他不仅熟知宫殿、教堂，而且也很了解旧城区的里面……他带我穿过弯弯曲曲的胡同，进入他称为'光的痰盂'的旧布拉格式的小漏斗型的院子，在老查理桥附近，穿过巴洛克风格的大门，横贯围着圆形文艺复兴式回廊的局促的院子，通过黑暗的像筒一样的地道，前往窝在狭小的院子里的凄凉饮食店。"

卡夫卡生前居住在这座城市的黄金小巷 22 号，每天都要到西贝斯卡大街的雅可咖啡馆写作。他基于眼前的现实想象出荒诞来，却不知道在某一刻荒诞成为真实。

这一刻发生在米兰·昆德拉的《生命中不能承受之轻》里，同一个城市，也许是同一条街道："在俄国人入侵那天晚上，每个城镇的人都把街道路牌拔掉了，住宅号牌也不见了。整个国家一夜之间成了无名的世界。俄国部队在乡下转了整整几天，不知自己来到了哪里。军官们搜寻并企图占领报社、电视台、电台，但没能找到它们。无论什么时候他们问路，人们不是对他们耸耸肩，就是告诉他们错误的地名和方向。"

街道全部失去了自己的名字，这个城市忽然成了一个忘却的城市。

布拉格是世界上对时间最为精确、最为敏感，也最为模糊、最为混乱的城市。这座城市有两个最著名的时钟，一个是老城广场的星象钟，它展示太阳和月亮的运动，显示巴比伦时间、古老的捷克时间和现代时间。

另一个是犹太人市政厅的希伯来大钟，它的指针按照逆时针的方向运行。

逝者如斯夫，往日不可追，逆转的时钟只能表示昨日重现的愿景而永远不可能弥补什么，如果米兰·昆德拉再难走回卡夫卡的街道，那些被捷克改革运动拆除、被奥地利反改革运动拆除、被捷克斯洛伐克共和国拆除、被共产党拆除的每一个纪念碑，都会从中跑出幽灵来，出没在街道上，提醒着你试图忘却的徒劳。

街道只有在记忆中才显得如此美好。日本女作家寿岳章子写过关于京都的书《千年繁华》，回忆旧时京都，她说，京都人不容易激动，不容易被集体行动所召唤，他们会留在巷间曲折如鳗鱼的家中，透过质地良好的木头窗框往外看，并窃窃私语云云。这是典型的老年人反应，什么没看过、听过、经历过？从最鼎盛的繁华到最寂寞的黄土一抔，"像昔日丰臣秀吉扶病最后一次到醍醐寺赏樱的春日出游行列，像昔日的绝世美女天后建礼门院德子甘心终身斋居礼佛于冷清的寂光院里，还有什么更繁华的应许诱惑得了京都人？还有什么更可怖的损失败亡吓得了京都人？"

每条街道都有属于自己的幽灵，每颗石子路都藏着自己的记忆，每一个生于斯长于斯的人都从街道中截取那些回忆，让它们缠绵生长在自己的脑海中，久而久之，甚至忘了那是听来的故事，还是自己的经历。

一街一世界

英国小说家格林在他的《哈瓦那特派员》中写道："人口研究报告可以印出各种统计数值、计算城市人口，借以描绘一个城市，但对城里的每个人而言，一个城市不过是几条巷道、几间房子和几个人的组合。没有了这些，一个城市如同陨落，只剩下悲凉的记忆。"

对于作家奈保尔来说，印度对他而言大概就是童年生长的贫民窟——米格尔大街。

当时刚获得牛津大学学位的奈保尔正处于迷茫，他忽然想起了那条街和街上的人，他们让他写出了第一本书《米格尔街》。

"每天早上，海特起床后，便骑在他家阳台的栏杆上，朝对面喊道：'有什么新鲜事么，博加特？'博加特在床上翻个身，用别人几乎听不到的声音，轻声咕哝着：'有什么新鲜事么，海特？'"

这是《米格尔街》的第一篇《博加特》。全书由十七个短篇组成，每篇写一个人物，每个人都是失败者。米格尔街毗邻西班牙港，属于特立尼达和多巴哥。街上的人都是逃离了故乡的逆子，是一个寄人篱下的群体，他们按照自己没落的印度方式生活，活在自我中心的封闭幻觉之中。用奈保尔的话说："我们守望内心，我们活出外在；外面的世界以一种幽暗的形式存在，我们什么也问不出来。"

拥挤不堪的杂居，野蛮生长的孩子，街道由人组成，世界也不过是人情世故。难怪很多大作家一生的写作题材也只是那小小的一块地，如马尔克斯的马孔多镇和福克纳的"邮票小镇"。

类似《米格尔街》的作品还有美国作家舍伍德·安德森的《小城畸人》和墨西哥裔女作家桑德拉·希斯内罗丝的《芒果街上的小屋》，都是描述一个逼仄的空间，一个磅礴的世界。

少年离开自己生活多年的街区总是雀跃而兴奋的，远行腾飞的身体越来越轻，身后送行的人的影子越来越渺小。然而离开是为了回来，追忆也是一种归来，用《芒果街上的小屋》里的话说："为了那些我留在身后的人。为了那些无法出去的人。"

博尔赫斯晚年逐渐失明，然而他仍喜爱在布宜诺斯艾利斯的街头一遍遍徘徊，从日出到日落。开始的时候，是为了用仅存的视力记住天空的颜色、云彩的颜色、黄昏的颜色和雨后街道路面的颜色。后来，书籍的文字消失了，朋友的面孔消失了，镜中已空无一人，东西都模糊不清，他仍然喜欢一遍遍地漫步。

他在一首名为《街道》的诗中写道："我的灵魂在布宜诺斯艾利斯的 / 街道之中 / 并非那些被人群和交通 / 逼迫的贪婪的街道 / 而是那些寂静的街巷 / 隐形于习惯的力量 / 在天空和平原的深

邃的广袤中 / 迷失自己。"

当世界离你远去，街道，永远不会失去它的神奇。

2012 年 9 月

附记：

这篇文章是为《新周刊》专题《世界上最美的街道》而作。

前卫的民国

民国的空前绝后，全在于速度——所有旧的东西被快速摧毁，被新东西飞沙走石地席卷覆盖。

几千年来，在中国人的观念里，最丢脸的事莫过于"不肖"，即不像自己的祖先。到了晚清末年，天朝的衰落和西方的崛起，让中国陷入了前所未有的羞耻和自我怀疑。他们怀疑自己那迁缓庄严的祖宗是错的，是低劣的，是自己受辱的原因。达尔文"进化论"理论的引入，更加速了恐慌——不毁灭旧的，就会被淘汰而灭亡。

到了民国，在短短几十年内，所有重大的哲学问题被重新思考，个体的生活方式被神经质地更新换代，各种先进与激进齐齐冲出水面，无所畏惧。李敖曾经列举过民国的三大"文妖"：黎锦晖，他1927年写了现代中国的第一首流行歌曲《毛毛雨》，歌词里因为有"小亲亲不要你的银，奴奴呀只要你的心"而被视为黄色歌曲；刘海粟，他第一个提出在教室里公开进行人体写生；张竞生，他登报向大众征集性经验，编《性史》。

除了这些姿势前倾得过头，以至于成为靶子的标志性人物，民国还有许多如今也算得前卫的气象。比如女权主义，以唐群英、沈佩贞为首的新女性为了女性参政议政，冲进南京临时参议院的会场，砸烂玻璃门窗，在受挫后还暴打宋教仁；比如艺术风格，1935 年在广州成立的中华独立美术协会，大力倡导"超现实主义"和"野兽主义"，画作多似莫奈和毕加索。

民国的速度多少有些歇斯底里，留洋的年轻人们看到西方的发展，深感与本国的时间差，于是急速地想弥补这个落差。虽然是前卫，却是"浮游的前卫"，还没来得及扎实地真正发展，就被40 年代末天地玄黄的变局，消灭得几乎荡然无存。自此之后，中国人一个转身，回到某个起跑线重新前行，清零了民国飞速奔跑累积的那些里程数。

怪恶的先知

张竞生，1888 年生于广东省饶平县，20 世纪 60 年代失踪于中国文学史。很多很多年之后，当我们的思维终于铆足了一口气，勇闯一些禁区时才发现：原来几十年前，张先生就来过这儿。然而，张竞生当年行至此处时，多半是被斥为疯子、神经以及色情狂。

第一个骂他"神经病"的是他的父亲。张竞生在中学结业后，渴望北上升学，父亲却让他回乡当乡绅，张竞生心生愤懑，就走了四十多里的山路，到县衙门告了父亲"夺子之志"，打了个惊世骇俗的官司，父亲才拨款让他北上。

张竞生在北京追随孙中山革命，参与营救汪精卫，又担任了南北议和团秘书，直到民国建立且袁世凯被推举为大总统，决心与孙中山同进退的他才退出政坛，到法国留学。

他把自己的所有青春都攒到法国发作。他后来在《十年情场》等自传详细描述过这段时光，他留学八年，他大开眼界，他猎艳无数，他直白坦荡，他回味无穷。那是与心平气和的古中国完全不同的境况——情感满天飞，满地融溢磅礴的感受。留学的几年让张竞生的重心和视野，从早年的"政治"，渐渐偏重到对"美"和"性"的研究。

1920 年，他学成回国，看到中国漫无节制地多生子女，就给当时的广东省长兼督军陈炯明上了一份条陈，主张节育，每对夫妇只生两个孩子，违反的就要处罚，他甚至连节育方法和节育器具都写得很清楚。陈炯明认为"此人大概有神经病"。在此之前，从未有人提过"节育"。而在三十七年之后，历史又选择了另一位先知马寅初，再次提出"只生两个"的新人口论。

蔡元培把张竞生聘到北大，和胡适并称哲学系两大最年轻的教授。他教的是逻辑学，在北大的讲义出了两本书，《美的人生观》和《美的社会组织法》。前者还尚且有模有样，用了许多科学分析和艺术思想，去解释美的构成和极端体验。后者则更像张竞生个人狂野的伊甸园乌托邦：比如每年一次或几次，从国都到村的各级行政单位都进行"选后选妃"；比如成立"美的政府"和"爱美院"，代替国家机器和法院，惩罚所有违背爱与美精神的人事；再比如用情人制代替婚姻制。

他的这些构想引起的也不尽是冷嘲热讽，社会带着犹豫的惊疑打量着这个留法学者，并不知深浅，也并没有贸然打压，一向大力引进西方学说的周作人甚至表示佩服，说："在中国这病理的道学社会里高揭美的衣食住以至娱乐等的旗帜，大声叱咤，这是何等痛快的事……"

而真正使张竞生身败名裂的，则是他把"美"引申至"性"，火力全开，轰开那隐蔽的语境。他要编纂《性史》。1925年秋天，他在报纸上登了一则征集性史的启事，题目叫《一个寒假的最好消遣办法》：

"……算到今日曾与若干人交媾？无或和谁？你一向的性量大小，兴趣厚薄，次数多少。你喜欢那一样的交媾法？从春宫图看来，或由自己创造，请详细写出来。与你交媾的对手人性欲状况、性好、性量、性趣等请代为详细写出来。尚望作者把自己的'性史'写得有色彩，有光芒，有诗家的滋味，有小说一样的兴趣与传奇一般的动人。"

来稿非常踊跃，短短的时间就有三百多封，张竞生从中选取了七篇，附上按语，结集出版。其中第一篇《我的性经历》的作者"一舸女士"，后来成了张竞生的妻子。她诚实地描述了自己的性启蒙、初次性经历和婚后的性生活。其他投稿也生猛劲爆，大大咧咧地涉及少女同性爱和婚外恋。张竞生自称个人性史平庸无奇，却在点评里给出了非常多具体、大胆而且富有想象力的办法，来增加男女情趣。即使见怪不怪的现代人看了，恐怕也难免血脉贲张。

此书出版四个月后，首先在南开中学遭到查禁，被老师从学生的枕头底下抄出来，当众烧毁；接下来天津警察局也张榜查禁，然后各个学校纷纷贴出禁令，结果反而促进了销量，这本书迅速流传。甚至连萧乾在回忆自己的初中时代，也说自己白天干农活儿，晚上如饥似渴地看书，其中就包括《性史》。

这本书销量如此好，市面上出现了许多仿冒的续集，打着"张竞生"的名号编些淫秽的故事装订出书。这时，社会对张竞生再没有聆听，没有宽容，甚至谈不上热烈的讨论。对他的鞭挞是全方位的，不仅来源于道学家、学者，曾因为公开讨论"性道德"而遭批评的周建人，毫不留情地批评张竞生对"性"的科学一无所知，翻译过《性心理学》的潘光旦冷嘲热讽，而之前力挺张竞生的周作人，也表示失望，说："先前的张竞生，还从法国带得一道隐身符来，我们所见的不是他本人，他之前关于美的思想恐怕是东凑西和的法国舶来货呢……他现在只使人感到不堪的丑恶：真是丑的话，丑的行为。"

1926年，张竞生被迫离开北大，他在上海开办了一个"美的书店"，只收美女店员，只卖自己编写和翻译的书，又遭到了无数讽刺。他去讲学时，被浙江教育厅长蒋梦麟以"性宣传罪"的罪名拘禁，又被驱逐出境，他只好再次赴法游学。

1928年之后，张竞生几乎退出了所有风口浪尖的话题，翻译出版了几本卢梭，为赚钱写了三本卡萨诺瓦式的情史回忆录，"文革"之后，江湖上再也没有他的传说。

张竞生重新被关注，不过是近几年的事情，但始终没有重量级的斩钉截铁的评价。李敖曾说要写《张竞生传》，也不了了之。能找到的对他的评价，大多是断章取义的片段。其中被引用最多的是鲁迅的话："张竞生的主张要实现，大约当在二十五世纪。"这被当做张竞生观念超前的证据，可仔细查证，发现这句话出现在鲁迅和许广平的通信里，缘由是鲁迅班里有五六个女学生，许广平撒娇打趣地劝他欣赏："记得张竞生之流发过一套伟论，说是人都提高程度，则对于一切，皆如鲜花美画一般，欣赏之，愿显示于众，而自然私有之念消，你何妨体验一下？"而鲁迅回应私有之念消除"大约是在二十五世纪"，用意不在说张竞生，而是向许广平表衷心，承诺自己一定目不斜视。

迟来的，奠定一生的重要判词，不过来源于一段书信轻飘的调情，说者并无心，这对张竞生来说简直和从文学史上的"被消失"一样悲哀。

无论如何，张竞生终于被重新提及，以先知的名义。我们在回看历史时，为了方便总会简单地归类"好人"与"坏人"，"伟岸"与"龌龊"。为故人的正名，也像翻画片一样无常轻率。而在我心目中，张竞生真正超前、前卫、领先于我们好多年的地方，并不是他对人口的预见，对性的开明，而是他对人性提前了多年的和解与圆融。在张竞生尚未被妖魔化之前，他曾写下这样的话："怪恶在艺术上只可视为伟大的别名，或则为其阴影，是助成而不是忤逆，是统属而不是独立。"这话即使放在几十年后，也是他最有力的辩词。

不可模仿的民国"it girl"

有不负责任的陈年八卦，说是 20 世纪 20 年代，宋庆龄和孙中山从广州到北平，fashion icon 宋庆龄担心自己一直以来的上衣配裙装太落伍，在借住外交官顾维钧家的日子里，她偷看了当时顾太太的衣橱，因为那一定是最新的流行。后来北平的时光里，她一直穿着旗袍，有人说她的时装灵感就是借鉴了顾维钧的太太。

顾维钧当时的太太是第三任，叫做黄蕙兰。宋庆龄从她身上偷窥潮流趋势并不奇怪，黄蕙兰是豪门名媛，是社交名流，是时尚东方美的代表，是某年 *Vogue* 杂志评出的"最佳着装"中国女性。

黄蕙兰的父亲是爪哇糖王黄仲涵，他有十八个得到承认的姨太太，有四十二个孩子，黄蕙兰是他最受宠的女儿。

她的自传里说自己在不到三岁的时候，妈妈就将一条带有一颗八十克拉钻石的金项链围在颈上，钻石和婴儿拳头一样大。当她戴着，那大宝石就不断敲打着她的胸口，而且在胸脯上留下一条难看的伤痕。这时她妈妈才意识到这钻石大了些，要保姆收起来，等她大些再戴。黄蕙兰说："不过，当我长大时，我就不常戴它了，因为手头总是有新的，琢磨得更好，更吸引人。"

黄蕙兰少女期在欧洲度过，结识了各种皇室和名流，却没有找到"正确的"丈夫，直到在巴黎结识了三十二岁雄心勃勃的顾维钧。他们的结合是冷静理性计算得出的合理搭配，旁人从此要称她为"高贵的夫人"，他则可以用她的钱开展自己的事业。当时的政府为顾维钧和黄蕙兰在北京借了房子，那是吴三桂为陈圆圆建的，位于城内，十英亩两百间房屋，黄蕙兰因为不习惯住借的房子，就让她的父亲出钱买了下来。房子里一共有四十个佣人，足够黄蕙兰频繁的派对和宴客。

黄蕙兰的另一个乐趣，就是创造出新的时装样式，以看城中妇女争相模仿为乐。民国妇女对"过时"这件事，比现在妇女的恐惧更甚。她们对最新潮流患得患失，亦步亦趋。这也许表明了时势板滞，无可作为，人们就把所有的精力投入到衣服的日新月异上。

黄蕙兰的时尚生涯中，最可夸耀的成就在于她对服装材质的敏感。当时雅致的中国妇女看不上中国绸缎而爱好法国衣料，而黄蕙兰就开始选用老式绣花和绸缎，做成绣花单衫和金丝软缎长裤，这是外国电影里神秘精巧的"中国风"，黄蕙兰说自己出尽了风头。

香港有些人把老式古董绣花裙子遮在钢琴上做装饰，这种绣花幔子只是为了挡灰，非常便宜。黄蕙兰买了不少这样老式的裙子，常在晚上穿着，后来在巴黎引起了轰动，把这种裙子的价格哄抬了几百倍。

黄蕙兰自视为时尚带领者，却毫不掩饰对她追随者的鄙夷，说她们只是盲目的冒牌货。她嘲笑着讲了这样的事，"有一年冬天我因为皮肤病不能穿袜子而光脚去了上海，我没有告诉别人为什么，然而令我感到可笑的是上海的妇女接二连三在大冷的冬天也把袜子脱掉了，后来我的皮肤病好了，重新穿上袜子，她们一定很奇怪吧。"

她一生的优越感似乎从未改变过，在外人眼里，并不觉得这种对财富的炫耀是天真的，反而觉得她整个人的粗鄙。张学良口述的历史里，黄蕙兰是个极不可爱的女人，张学良说她无所事事，婚后偷人，打牌偷牌，谎报自己的年纪，脾气坏。有次为顾维钧的外遇吃醋，就在他打麻将的时候，拿着茶水从他头上哗啦啦地浇下去，结果浇完了，顾维钧还是淡定不动地打牌。

他们在结婚三十六年后离婚，顾维钧娶了前民国政府驻菲律宾的总领事杨光洼的遗孀严幼韵，直至终年对自己第四任也是最后一任妻子赞不绝口。

而在黄蕙兰的自传里，她既没有表示对少帅的不满，甚至也没有对丈夫的怨言，她更兴致勃勃想要叙述的，是自己早年的奢华和风头，她的生活方式，她的品味和胆量被所有时髦或不时髦妇女颤颤巍巍地仰视。国内外的名流对她惊奇溢美，法国玛丽王后、摩纳哥王妃、美国总统杜鲁门的妻子……

到了晚年，她隐居纽约，眼前神话般的世界消失了，国内外的房子被一一接管。"职业夫人"发现自己身无长处，父亲死后就只能靠着银行利息生活，她直到成为老太太才学会到邮局买邮票，生活对她来说是一次次探险。

失落感最终还是会擒住她。有一次黄蕙兰返回寓所时，一个女人认出了她，说："我记得您当年是我见到的最漂亮的人，衣服时常变换。"她猜测自己听了这话脸色一定变得很可怕，因为那女人赶紧补了一句："当然，您现在还是那么迷人，不过……"

没说出的话何必要残忍地讲明白，黄蕙兰的自传就叫做《没有不散的筵席》。她有一段冷漠而伤感的自言自语，说："我的孩子见过一些我以前的生活，但我觉得他们对过去有些厌烦。我的孙儿女对过去更是一无所知。因此，在记得我的世界的人都去世之前，在那个世界完全消失以前，我尽可能准确地把我的生平写下来。"黄蕙兰死于1993年，筵席散得早，她所在的那个世界完全消失了。

2010 年 8 月

附记：

这篇文章是为《新周刊》的专题《民国范儿》所作。

"人们有时候会逐渐讨厌起他们生活的时代，不加分辨地热爱和仰慕一段往昔的岁月。如果他们能够选择，简直可以肯定，他们会想办法往自己生活里引入来自那已被理想化了的过去的某些习惯和做法，并批评今不如昔。"

这是以赛亚·柏林文章《现实感》的开头，也精准地描述了如今的我们对于民国的感受。

民国真的那么好？恐怕也不尽然。

伍迪·艾伦的《午夜巴黎》把这个道理翻译成一个简单的寓言：来自现代社会的男主角，偶尔穿越回菲茨杰拉德、海明威所生活的"流动的盛宴"的年代，觉得万分美好；那个时代的人却抱怨着所处时代的粗鄙，说几十年前的巴黎才叫好；于是又往前穿越，那时的人又说文艺复兴才是灿烂的"从前"……

黄金年代永远在身后。无人能够改变的是,时代的火车往前开——拉着那些愿意的,拖着那些不愿意的。

@ 张爱玲

张爱玲你好：

那天又想到你，是和人谈起胡兰成。

话头并不是因胡兰成而起，而是从一本叫做《在德黑兰读〈洛丽塔〉》的书开始。伊朗女学者阿扎西从海外归来，回到自己的祖国伊朗教授西方文学，她因为不愿意戴着面纱上课，辞掉了在德黑兰大学的教职，邀请了七名女学生，每周四到她家里贪婪地阅读英文经典。她为女孩子们选定的阅读教材有《一千零一夜》《洛丽塔》《了不起的盖茨比》等。

这本书的主题，是讲在个人自由受到强烈桎梏的大环境下，如何通过启蒙自身，来改变所处的世界。而书里最让我感兴趣的细节，却是当这些秘密阅读小组的妙龄少女读到亨伯特，忍不住震颤和心动，"洛丽塔，我生命之光，我欲念之火。我的罪恶，我的灵魂"——仿佛亨伯特在舌尖所含的是她们的名字。

忽然就想起了胡兰成，像所有的张爱玲迷一样，我也很讨厌胡兰成，不解你对他的深情。亨伯特和胡兰成一样，其实是非常丑恶肮脏的人，内心有永远也见不得人的一面。

他们的另一个共同点，就是都有种奇异的、能操纵女人的能力。魅，祛不了的魅。比如台湾的朱天文、朱天心两姐妹，就是很明显地在胡兰成语言的操控之中。

不同的是，在对女人永不停息的追求上，亨伯特有种自知的病态，胡兰成却视其为天下最正当、最美的事业。

胡兰成在给人的信里写：

"……乃至在路上见跛足的或乞丐的妇人，我都设想我可以娶她为妻……此是年轻人的感情，如大海水，愿意填补地上的不平。因由此感情，故山川草木以及女学生，皆映辉成鲜润的了。"

我看了，觉得比旧文人"红袖添香夜读书"的毛病还要令人憎恶。因为除了风流，还有一种临幸天下的滥爱，自视为上帝、"文人中心主义"——我生气，也是因为对他有先入为主的意见，知道他和你的故事，所以在读这封信的时候，脑海里总有他顾盼生姿的样子。

如果我事先没有这种心理防御，恐怕也很难抗拒胡兰成的魅。

因为你无法把违背社会常理和道德的职责施加给他，他自己有一套标准和与之匹配的语言。比如他在《今生今世》里写："前一晌我看了电影沛丽，沛丽是一只小栗鼠，洪荒世界里雷火焚林，山洪暴发，大雪封山，生命只是个残酷。它随时随地会遇上敌人，被貂追逐，倖死得逃，而于春花春水春枝下，雌雄相向立起，以前脚相戏击为对舞，万死余生中得此一刻思无邪的恋爱，仍四面都是危险，叫人看着真要伤心泪下。众生无明，纵有好处，越见得它是委屈。文明是先要没有委屈。"

他把整个文明的概念，落在一只惊惶的老鼠上。把那些庞大的词汇，都浓缩成一个楚楚的"委屈"。虽然我们明知道文明是个庞大复杂的概念，绝不是轻巧的"不委屈"几个字，但是却不知不觉接受了胡兰成的说法。他有自己解释世界的语言，以及评价万物的体系。你永远不能指责他错了，因为标准是他定的。当你去评价胡兰成时，就不得不进入他的世界，参照他的标准，使用他的语言。

胡兰成的这套标准柔情而委婉，所以让人容易沉迷不能醒。

阿城也把胡兰成的《今生今世》借给陈丹青，他在胡的文章中看出了杀气。杀气是藏在一团圆融温柔的香气中吧。连阿城也只找出了一处破绽，说他"兵家写散文，细节虽丰惟关键处语焉不详"。

最喜欢的你的书，并不是你二十几岁才华横溢期写的小说，而是一本没写完的《异乡记》。这本书只有三万多字，记录了1946年你从上海到温州寻访胡兰成的见闻。

看得人心惊肉跳，尤其是看你平淡地叙述出自己不那么体面的经历："请女佣带我到解手的地方，原来就在楼梯底下一个阴暗的角落里，放着一只高脚马桶。我伸手钳起那黑腻腻的木盖，勉强使自己坐下去，正好面对着厨房，全然没有一点掩护。风飕飕的，此地就是过道，人来人往，我也不确定是不是应当对他们点头微笑。"

《围城》里也写到过知识分子逃难的狼狈，但是下笔要克制保留很多，钱锺书嘴角总有一抹嘲弄的笑，要与这乡间的生活拉开距离。不像你诚实得近乎残忍，几乎漫不经心地横刀对自己剖腹，露出惨淡与不堪来。

你流产（抑或是堕胎）过，《小团圆》里写自己直视着抽水马桶里的男胎儿，肌肉上一层淡淡血水，大大的双眼突出。这一幕简直恐怖到了极点，如同排泄物一样的胎儿被冲入排水道。性、虐杀、暴力拥挤在一段让人心碎的记忆中，你却有耐心细细地回忆和描摹这画面。

你对自己狠，也不饶过别人。《殷宝滟送花楼会》写的是傅雷的故事。傅雷爱上了学生的妹妹，一个美貌的女高音歌唱家。而妻子朱梅馥善良浩荡如菩萨，包容怜惜丈夫一切的暴戾乖张。傅雷和女学生相恋过，最后没能在一起。女学生把故事告诉了你，大概也期待你能写成个如泣如诉的悲歌，岂料在你眼里，他们的爱情并不是唐传奇，甚至不算是一段世说新语，而不过又是一段自欺欺人。虽然傅雷在你动笔写这篇小说几个月前，才刚写过文章，夸赞你为"文坛最美的收获"，可是你并没有领情，笔下的傅雷不是唐璜，而是个神经质的虐待狂。

评论家柯灵曾经写过著名的《遥寄张爱玲》来怀念你，满怀深情怀念你的才华。在《小团圆》里，你却毫不留情地写了当初是怎样被他在公车上调戏的："真挤。这家西点店出名的，蛋糕上奶油特别多，照这样要挤成浆糊了。荀桦（原型为柯灵）乘着拥挤，忽然用膝盖夹紧了她两只腿……就在这一刹那间，她震了一震，从他膝盖上尝到坐老虎凳的滋味。

她担忧到了站他会一同下车，摆脱不了他。她自己也不大认识路，不要被他发现了那住址。幸而他只笑着点点头，没跟着下车。刚才没什么，甚至于不过是再点醒她一下：汉奸妻，人人可戏。"

你总是把人想象得比真实更坏一些，或者说，你眼光毒辣，发现了甚至连他们自己都没有发现的猥琐心思，并且不惮写出来，不管那人是不是对自己有意，或是有恩。

对胡适先生，你却是少有地留了情面。那时你们都在美国，离开了国内被人追捧、与人热络的环境，都非常孤独寂寞。胡适先生的处境大概比你好些，也帮了你许多。你当时住在救世军办的宿舍里，性质和待遇就和收容所差不多。

胡适先生来看你，两人往黑漆空洞的客厅里去，胡适先生直赞这地方很好。坐了一会儿，一路出来四面看看，仍然满口说好，分明是没话找话。

你送他到台阶外，天冷，你没穿大衣，却也和胡适先生在凉风中站了许久。那是你们最后一次见面。你刻薄的笔力并没有捅破和揭穿什么，即使内心清明，最后仍然尊称胡适先生为"偶像"。

对亲人和至交，你甚至都没有那么友善。你后来和好友炎樱断交，几乎老死不相往来。在后来的通信里，炎樱问你为什么莫名其妙不再理她，你说：我不喜欢一个人和我老是聊几十年前的事，好像我是个死人一样。你的弟弟张子静，你在《童言无忌》里说他"实在秀美可爱"，听到别人说他种种不成器，你则比谁都气愤。他后来向你寻求救济，你却分文不给，以至于他也写书诉述你的冷漠。

"任是无情也动人。"——不相干的人恐怕会这样说你，相干的人则只觉得无情。你却说自己"所有人都同情"。我想到有人曾经问徐梵澄先生，说鲁迅为什么这么刻薄，这么好骂？徐梵澄先生说："因为他厚道。厚道是正，一遇到邪，未免不能容，当然骂起来了。"

角度不同，冷暖自知吧。平常事物，你比别人更早看到更深一层的苦难，急急别过脸去，人说你无情，其实是同情至深。

你遇到胡兰成时二十三岁，我遇到你时七岁，如今也快二十三岁了。先是看你的文章，然后研究你的人生，时而背离，时而叛逃，时而万有引力一般地靠近你的人生。

你说生活像你从前的老女佣，叫她找一样东西，她总要慢条斯理从大抽屉里取出一个花格子小手巾包，去掉了别针，打开来轻轻掀着看了一遍，照旧包好，放还原处，又拿出个白竹布包，用一条元色旧鞋口滚条捆上的，打开来看过没有，又收起来；把所有的包裹都检查过一遍，她对这些东西是这样的亲切——全是她收的，她找不到就谁都不要想找得到。

你被时代推着走，只能从后往前推测人生的结局怎样才能美满些：若没有爆发战争，若留在了大陆，若没有逃到美国，若晚年回到香港……全是一堆无从选择的选择题。

如今，我的生活也成了这样一个慢吞吞的老女佣，求之不得的无奈多过踌躇满志，事与愿违的情况多于种瓜得瓜。无论自己抑或是时代，都看不清前路在哪儿，也不知道走哪步会满盘皆输地错。这时总想起你的话来："我们这一代人是幸运的，到底还能读懂《红楼梦》。"这是文学仅剩的安慰，以及最后的退守。还能读懂你，我想我也是幸运的。

2011 年 12 月

附记：

这篇文章是为某杂志所作的命题作文。题目是挑选一个历史中的人物，给他／她写一封信。

张爱玲，当然是张爱玲。

小时候喜爱她的《沉香屑·第一炉香》与《倾城之恋》，向往乱世佳人、时代的车、漫天的火光；长大一点，喜爱《色，戒》，读懂了人性的可悲。再大一点，最爱的是《小团圆》和《异乡记》，前者是她对自己前半生的惨淡审视，后者是她平铺直叙地写自己逃难的经历，读到她对自己的残忍解剖，有种凛冽的痛感。

前两日，又看了台湾出版的、夏志清编著的《张爱玲给我的信件》，主要是张爱玲到美国之后的生活，最感慨的，是她不断重复着对帮助过自己的人近乎絮叨的感激。她讲了很多生活的无奈和窘迫，然而，最使我难过和印象深刻的是这句话：

"我这些年只对看得起我的人负疚，觉得对不起人，这种痛苦在我是友谊的代价，也还是觉得值得。"

将军白先勇

　　"尹雪艳总也不老。"——白先勇的名篇《永远的尹雪艳》开头这样写。尹雪艳是昔日上海百乐门的交际花，解放后去了台湾，在自己的小公馆里造出了一个世外桃源，让遗老遗少们乐不思蜀。她在哪儿，旧日的繁华便在哪儿就地复活。

　　白先勇也不老，七十五岁的他出现在广州方所书店讲座，穿一身白色西装西裤，绯红脸庞，大眼睛，两个笑盈盈的大酒窝，款款走上台，台下年轻人着魔一样欢呼鼓掌。他自有明星派头。

　　白先勇上次这样密集地奔波、出镜、做宣传是为了昆曲青春版《牡丹亭》的演出，这回是为了宣传他为父亲编著的《白崇禧将军身影集》。陪伴他做宣传的出版社工作人员说，白先勇也像个将军，指挥着一场场宣传的调配，如指挥千军万马，敌人是舟车劳顿和言语的重复。

　　那几天适逢广州暴热，白先勇在几乎无休止的摄影和采访间隙说："如果是为了宣传自己的书，绝不肯受这样的折磨。但是这回是为了父亲，那也算尽了孝道。"

为父亲著书立传，正名于天下，成了白先勇这些年除了宣传昆曲以外最主要的工作。几年前，他就写过长文《养虎遗患——父亲的憾恨》，讲述白崇禧将军与四平街之战。四平街之战，白崇禧击败林彪军队，蒋介石却反对乘胜追击，林彪军队因此有了喘息和壮大的机会，从而一举反击，成为国共胜负的转折点。

这场战役，是白崇禧晚年居住在台湾小岛还念念不忘、杜鹃啼血一样反复对儿女絮叨的一场战役。耿耿于怀，是认为始终没有被历史所正名，是因为委屈。在国民党官方历史的描述里，对蒋介石的指挥失误含混敷衍；在共产党官方历史的叙述里，林彪的溃败是战略性的撤退。

白先勇替父亲委屈："历史永远是由胜利者书写的，父亲在两边的历史里，全都消失了。"

台湾的"中央研究院"曾经为白崇禧做过一百二十八次口述，最后一次口述是白崇禧去世前八天，可是很重要的国共内战还没有讲到，白崇禧将军就已经走了，所以白先勇决定做父亲的声音，讲完全部的故事。

1911 年，武昌起义，广西人士群情激昂，组军北伐。白崇禧参加了一百二十人的学生敢死队，随军北伐。白崇禧的母亲知道他参加敢死队的消息，命令他两位哥哥到桂林城北门去守候拦截，没想到白崇禧暗暗把武器装备托付给同学，自己轻装从西门溜了出去，翻山越岭和大部队会合，那一年他才满十八岁。这一次走出桂林西门，就是永远地投入了中华民国历史的滚滚洪流，命运随之被裹挟起落。

方所书店里，白先勇身后的巨大投影里，是白崇禧将军骑马驰骋的潇洒照片。父子二人的影像重叠，方显出他们五官很像，都是阔脸大眼。父亲要硬朗些，儿子长得要柔圆一些，不知怎么，颦笑间气质就差之千里。

讲座快要结束的时候，有观众起立发言："白先生您说了这么多您父亲的丰功伟绩，我觉得都很好，他打仗确实很厉害。可我觉得'战神'这个称呼夸张了，而且国民党最后还是败了，您有没有想过，战争中决定成败的，其实是民心相背呢？"

这位观众又拉拉杂杂了讲了一堆国民党党内腐败、民心尽失的观点，其他观众忍不住嘘声四起——太符合官方历史的政治正确了，说话间也太不礼貌了。

白先勇却仍然不恼，还是笑盈盈、软柔柔地一句一句反驳，赢得满场的掌声，因为他的风度。

这就是修史者的尴尬，永远会被人质疑动机。白先勇先生虽然反复强调："我在写我父亲的时候，一点都没有为尊者讳。"可仍然逃不过质疑和冷语。

台湾作家张大春说："白先勇在上海座谈时表示：'我父亲白崇禧和蒋中正是瑜亮情结。'我实在憋不住，不得不说，这话说得有点儿人来疯了。"

在方所书店的讲座里，白先勇谈到蒋介石时说："我的父亲和蒋介石的关系非常复杂，分分合合四十年，一本书也讲不完。"

有观众问："蒋介石是不是忌妒？"

白先勇点头，说："他的心胸，十分……"话没有说完，可是观众已经会意微笑。

电视连续剧《桂系演义》临近收尾之处，在国共内战中备受蒋介石排挤的白崇禧曾经愤懑怒吼："没有我白崇禧，哪有他蒋中正？"

这句对白虽然是虚构，可足以见出两人的不和。平心而论，仅仅用蒋介石的忌才之心来解释两人之间的暗涌和防备有失公允，白崇禧和共产党打仗，又和蒋介石打仗。白崇禧率领的桂系和蒋介石之间的战争，使双方元气大伤，北伐之后的中国失去了统一的机会而四分五裂，日本侵略，国共内战，新中国成立，历史从此改写。

"中研院"近史所研究员陈存恭曾说："大陆的沦陷蒋先生很气他（指白崇禧），叫你去指挥徐蚌会战你又不去，你又要逼我下台，你又挡不住共产党。"

1949 年，国共双方胜负已定，蒋介石败逃台湾。据说当时白崇禧和李宗仁曾有过一次拥抱，白崇禧在李宗仁耳边嘱咐："千万不要去台湾。"

没想到几个月之后，李宗仁去了美国，反而是白崇禧从海南岛飞台湾。此时他从广西带出一路浴血的军队，已经不剩一兵一卒了。

白先勇解释父亲为什么还是要去台湾时说："他放不下民国，他对民国有种责任感和使命感，所以除了去台湾，他没有其他选择。"

到了台湾的白崇禧将军，只为了给历史一个交代，却赔上了一生的政治生涯。白崇禧在台湾任职"战略顾问委员会"副主任委员，这个委员会就是给何应钦等一些老将军以虚职，对他们敷衍交差。阎锡山之类的老人每逢开会，就推说生病，不去开会，只有白崇禧，每次按时正装出席，认真听会和记录。

　　白先勇说，白崇禧在台湾的将近二十年时光里没有什么实质性的工作，顶多就是为大学建造游泳池、绿化之类的工程选址，可他还把这些琐事当成大事，跑前跑后地去操劳。他最大的爱好一个是下围棋，另外一个就是督促自己的儿女学习，以检查他们的成绩单为乐。

　　白先勇在整理父亲的照片时，看到一张照片让他泪如雨下。白崇禧在台湾南部的某个小学，站在木箱上向小学生训话，他当时严肃的神情，和当年指挥千军万马北伐的时候毫无二致。

　　"这大概是他维持尊严的一种方式。"白先勇说。

　　即使只有些闲职，白崇禧仍然一直被监视，外出永远有一辆吉普跟随。白崇禧写信质问蒋介石，陈述自己一直忠于党国，为何要被监控？

　　"副总统"陈诚向他解释："便衣人员是保护你的，我也有人跟随。"

　　白崇禧说："你是副总统，有这个必要。我没有这个必要。"

　　可这辆吉普，却一直跟随，直至他去世。渐渐地，白崇禧一家竟也学会苦中作乐，白先勇的母亲马佩璋喜欢看戏，有一次全家去看戏，时逢大雨，那辆特务的吉普也跟在后面，车里三个人在寒风中瑟瑟发抖，马佩璋看了一眼，叹道："真是辛苦他们！"就让白先勇去买了几张票，请他们一起看戏。白先勇买票递给他们，三个人开始是慌张不敢接，后来仍是接受，一同进戏院去看那出张正芬的《红娘》。

苦中作乐也仍然是苦，白崇禧把自己在台湾的园子起名叫做退思园。丢掉大陆匹夫有责，他觉得自己责无旁贷。

白先勇整理出白崇禧1965年的信，他听说李宗仁从美国回到大陆，就提笔给当年的桂系主力黄旭初写信，通篇都在分析时局和反攻大陆的可能性，结尾写道："弟待罪台湾，十有七年矣！日夜焦思国军何时反攻大陆，解救大陆同胞。"

英雄迟暮比美人迟暮还要残忍。美人老了，渐渐地，也就认命了。可英雄，既难耐寂寞和冷清，同时又沉湎于往日的辉煌当中，对于未来，野心仍然不死，何其悲凉。

章诒和曾问白先勇："战事结束，胜负分明。令尊大人既反共，也反蒋。在毛与蒋之间，最后还是选择了蒋。"

白先勇说："他没有选择毛，也没有选择蒋，他选择的是国。"

"国？"

"国！中华民国。"

而如今"国"只是想象中的国，"隔江犹唱后庭花"和"将军空老玉门关"都只是一厢情愿和自欺欺人罢了。

张大春1975年写过短篇名篇《将军碑》，讲一个国民党的将军，应该已经死了，有坟墓，有碑，却好像总是活在现在，能够随时看到死后自己的家人和儿子怎么看待他，又能看到过去自己戎马生涯的岁月。他既疯又神，像是神志不清，又像是真的能穿梭回过去，回到过去的沙场上，他恨自己无法扭转历史，回到未来的子女身边；又恨他们开始学习马克思和共产主义——这是对自己最彻底、最无情的背叛。

张大春写得刻薄："将军已经无视于时间的存在了，他通常在半夜起床，走上阳台，向满院阴暗招摇的花木挥手微笑，以示搭理。到了黄昏时刻，他就举起望远镜朝太平山一代扫视良久，推断土共或日本鬼子宿营的据点。如果清晨没有起雾和落雨的话，他总是穿戴整齐，从淡泊园南门沿小路上山，看看多年以后，他的老部下们为他塑建的大理石纪念碑。"

回看过往，白先勇看到的是繁花落地的苍凉，以及那片脆弱之极的美。而张大春，作为新一代台湾作家，看到的只是环绕在这个小岛上黏稠稠、湿漉漉、挥之不去的乡愁。

白先勇对父亲的了解，大部分来自于他十四岁到二十五岁之间和父亲十一年的相处。十四岁那年，他第一次到台湾。

他说："台湾好丑，什么都破破的，旧旧的，又热，但是却那么有生命力，所有的草都长得那么高。"

我问："相对于大陆，台湾这些年来的变化其实挺小的吧。"

"那是你们看来，在我看来，变了好多好多……"白先勇目光变得游离，不知道飘到了什么地方。

他的记忆是一部庞杂、浮游又不断变化的历史。他出生在广西桂林，逃难的时候去过北平、上海、南京，还在香港读过两年书，在台湾生活过十一年，人生剩下的时候都在美国。可他从来不认为桂林是他的家，也不认为台北是他的家，就连回到美国，也觉得没什么家的感觉了。

记忆在飘忽，仿佛自己有灵魂一样在游园，偶尔惊梦。

1987 年，白先勇到上海复旦大学讲学，看了昆剧团的《长生殿》，结束之后，邀请大家吃饭，上海饭馆全都客满，忽然有人提议去"越友餐厅"。那家餐厅在汾阳路 150 号，是他们从前在上海住的老房子。时隔三十九年，请客居然请到自己家里去，比戏还像戏。

还是 80 年代，他重游南京，南京大学宴请，选在了"美龄宫"——当年宋美龄的别墅。大家谈笑之间，白先勇越来越觉得周围环境似曾相识，想起来应是 1946 年 12 月，宋美龄开圣诞派对，母亲带着兄弟姐妹参加，就是在这里。虽然同样是短袄长裙的打扮，但是宋美龄黑缎子绣着醉红海棠花的衣服就是比别人好看。派对的高潮是老人分礼物，每个人得了一个装着糖果的红袋子。

四十年后，白先勇重新回到这个地方，仍然是觥筹交错欢声笑语，宋美龄卧室的绿绒沙发甚至都保持着原样，真让人有彻底的时光错乱感。

在方所的讲座结束，主办方在广州一处水上的餐厅宴请白先勇。白先勇打量着四周的廊桥与水畔，说："这个地方，我从前好像来过……"

他眯起眼睛，目光变得湿润而游离，不知道要看回到多少年前，过了一会儿，他忽然疲惫道："算了，想不起了，不想了。"

白先勇大概是天生的小说家，他对时空有种天然的抽离感，大脑沟壑如时光隧道，空间在其间穿梭和变形，人世更迭，前世忘了今生，不辨荣辱盛衰。

他小时候曾经生过传染病，一病就是四年多，被隔绝在高楼上，唯一被允许的爱好，就是拿着望远镜往窗外看去。嘉陵江发大水，他拿着望远镜看到房屋人畜被江水吞没，竹筏上男男女女手忙脚乱，却没办法，只能干着急捶床，眼看着许多生命消逝。

人生就是无奈无常，无望无告，与无计可施——白先勇大概就是那个时候体会到的。

白先勇成绩好，少年时抱着兴修三峡大坝的念头保送到成功大学水利系，读了一年，虽然分数第一，却始终觉得不适合自己，瞒着父母退学，考取了台湾大学外文系。

在台大外文系，白先勇和陈若曦、欧阳子等同学组成了"南北社"，合办了杂志《现代文学》，白先勇任发行人，社址就在白公馆。白先勇铭记父亲所说的"做事要有始有终"，把杂志艰难维持了很久，为了筹钱，去放高利贷，还卖掉了坐落在大坪林一户属于他的房屋，自己出书也不领版税，全部拿来办杂志。

《现代文学》的创刊号介绍的是当时还不为人所知的卡夫卡，发刊词叫做《致我们的子孙们》。还没有毕业的大学生们，气魄已经非常大。

十六岁的三毛在《现代文学》上发表了第一篇小说《惑》，白先勇回忆第一次见她。她穿着苹果绿的连衣裙，剪着一个赫本头，在人群中显得惊慌失措，需要保护。他不知道的是，就住在路口转角处的三毛，已经看他进进出出热闹的白家很多回，而羞于打招呼。

在《现代文学》上发表《壁虎》的施叔青才十六岁，用笔已经凌厉非常。白先勇第一次见到李昂时，她推着一辆旧脚踏车，脸上青一块紫一块的倔强少女模样。谁知道她日后会写震撼老辣的《杀夫》。捏着一摞《鬼·北风·人》向白先勇投稿的王祯和脸上还全是羞涩，没想到这篇文章很受张爱玲喜欢，到台湾来还专门去拜访王祯和。

王祯和后来回忆说："我还记得她在我家，捧着木瓜，用小汤勺挖着吃，边看《现代文学》，那样子是那么悠闲、自在。二十五年过去了，那姿态我居然还记得那么清晰，就觉得她什么都好，什么都美。"

对那时候的白先勇来说，张爱玲并不是什么文坛上的神，只觉得她很瘦，脸上的神情淡淡的，像古画上走下来的人。

白先勇也在写作，大学毕业之前，已经写了《我们看菊花去》《月梦》和《玉卿嫂》等短篇小说。

大学毕业服兵役期间，他写了《寂寞的十七岁》。小说结尾，苦闷迷茫的男主人公在公园里被一个男人亲吻双手，"我没有料到他会这样子。我没想到男人跟男人也可以来这一套。"

白先勇曾经这样形容同性恋在少年时候的痛苦："当青春期如狂风暴雨侵蚀你的身体和内心时，你和其他正在成长中的青少年一样，你渴望着另一个人的爱恋和抚慰，而你发觉你爱慕的对象，竟如你同一性别，你一时惊慌失措，恐怕不是短时期内能够平复的。你无法告诉你的父母，也无法告诉你的兄弟，就连你最亲近的朋友也许你都不肯让他知道。因为你从小就听过，从许多人的口中，对这份爱情的轻蔑与嘲笑……"

《寂寞的十七岁》是《孽子》的前奏，是疯狂前的迷惘和挣扎，是与道德鏖战前的与欲望的鏖战。白先勇随即写了《孽子》，讲一群台湾同性恋少年的故事，以二二八公园为自己的黑暗王国。

即使暂时逃避到挡风避雨的乌托邦——或是索多玛城，仍然会有接触现实的瞬间。《孽子》里写男主人公护送母亲的骨灰回家，站在阴暗潮湿的客厅，看见父亲的靠椅，"我突然感觉到窒息的压迫，而兴起一阵逃离的念头。我要避开父亲，因为我不敢正视他那张痛苦不堪灰白苍老的面容。"

"《孽子》中的父亲傅崇山有白崇禧先生的影子么？小说中的角色也曾经是国民党高官。"我问。

"怎么可能，怎么可能？"白先勇先生仰头笑道。

白先勇在五十五岁的时候坦诚了自己的同性恋身份，他说在父亲生前，他们并没有谈过这个话题，但他相信父亲如果知道，也会接受，因为他最大的梦想就是能让孩子幸福。

白先勇遇到自己一生的爱人王国祥是在 1954 年，十七岁的白先勇和王国祥同时匆匆赶到建中去上暑假补习班，预备考大学，那天恰巧两人都迟到，一同抢着上楼梯，跌跌撞撞，碰在一起，就这样开始结识，来往相交。

"异性恋要找的是一个异己，一个异体，一个 other；同性恋呢，往往找寻的是自体、自己，在别人身上找到自己，这是同、异性恋基本的不同。"白先勇说。白先勇和王国祥的合照里，漂亮人儿，青春阳光，笑容如出一辙。

十七岁其实并不寂寞吧。白先勇后来在纽约所写的小说《Tea For Two》中，写两个男孩在初三参加童子军夏令营时相爱，爬出帐篷连跑带跳到湖边，在草地上脱得精光——"整个湖都在翻腾"。小说中两人相守了四十年，最后一起赴死。

1962年，白先勇的母亲去世，他按照回教仪式走了四十天的坟之后，第四十一天出国赴美，那天父亲也来送行。白崇禧将军戴着厚的毛线帽，面目哀伤悲恚，和日常会在街头巷尾遇到的老头别无二致，已经看不出曾经的叱咤风云。送别的时候，白先勇第一次见到父亲哭泣。那是他最后一次见到父亲。

白先勇去爱荷华大学作家工作室研究创作，1965年获硕士学位后旅居美国，在大学任教，后来迁入圣巴巴拉的"隐谷"，在隐蔽清幽之处一住就是二十年。而王国祥去美国攻读理论物理，两人在住所园中种上各种草木，憧憬着金色前景。

1989年，王国祥的"再生不良性贫血"复发，在三年的时间里，白先勇到处打听治病的信息，去上海、去石家庄、去北京、去杭州，求助于中医、西医、偏方、气功，他说："当时如果有人告诉我喜马拉雅山顶上有神医，我也会攀爬上去乞求仙丹的。在那时，抢救王国祥的生命，对于我重于一切。"

1992年，白先勇尽所有力量，仍眼见挚友的生命一点一滴耗尽，直至死去。白先勇在《树犹如此》中写道："我与王国祥相知数十载，彼此守望相助，患难与共，人生道上的风风雨雨，由于两人同心协力，总能抵御过去，可是最后与病魔死神一搏，我们全力以赴，却一败涂地。"

近几年的采访中，白先勇不断被问起这段感情，他只是温和笑道："我的朋友已经死去了，我就不再在公开场合谈论他了，为了表示对他的尊重。"

只有在小说中，他曾这样描述过失去伴侣的痛苦："头一年，我什么事都不能做，因为注意力完全无法集中。我像一个患了失忆症的病人，脑中记忆库里的过去记录，突然崩裂掉，我与亲友完全断绝了音讯。"

王国祥死后，从未听说白先勇身边出现过新的伴侣，他的园子里三棵遮天蔽日的意大利柏树死了一棵，剩下两棵露出愣愣的缺口和空白。

"也许天长地久可以做如是解：你一生中只有那么一刻，你全心投入去爱过一个人，那一刻就是永恒。你一生中如果有那么一段路，有一个人与你互相扶持，共御风雨，那么，那一段也就胜过终生了。"白先勇说。

白先勇在美国写作的生活是寂静和清闲的，他教书的时候，系主任知道他早上爬不起来，所有的课都安排在下午。车子开到学校，停好车，关了车门，进教室，总共十三分钟，算得准准的，轻松得很。

他每天早上起床，第一件事就是上网看报纸，然后用 email 回朋友的信，写作倒是从来不用电脑。他不但用手写稿，还一定要用孔雀牌的稿纸，而且一定要六百字一张的，笔则一定要用 pilot 牌黑色墨水笔，换了稿纸或是笔，就完全不会写了。担心断炊，他在家里储存了六十多支 pilot 牌黑色墨水笔，以及一大箱的孔雀牌稿纸。写作是在深夜，灌上一大杯浓茶之后开始写。

回国倒是热闹，也奔波。这两年都是为了昆曲青春版《牡丹亭》的推广。

汤显祖当年刚写完《牡丹亭》时，就引起了强烈的反响，一些女读者疯狂爱着汤显祖，甚至要将自己奉献给他。据说一位扬州女子对此剧极为着迷，以至于白天黑夜地读它，并要求死后与它葬在一起；一个未能与爱人结婚的杭州女演员，极为强烈地认同杜丽娘，死于戏剧高潮时的舞台上。

这种狂热近乎魔，白先勇也像着了魔魔，一提到《牡丹亭》便从困乏中顿时苏醒，两眼放光，叙述着其中的片段，那些奇妙的唱腔和水袖，他最常说的话是："美得不得了。"话毕还不断在听众中寻找着认同："美不美？美不美？"

"情不知所起，一往情深。生者可以死，死可以生。生而不可与死，死而不可复生者，皆非情之至也。梦中之情，何必非真？"这是《牡丹亭》中有名的句子。白先勇在爱人王国祥死后托情于《牡丹亭》，或许也是从这种生死情梦中找到慰藉。

《牡丹亭》的奇，不在于杜丽娘，反在于柳生。天下情痴女子如丽娘者不乏，而像柳生这样把丽娘置于心中叫之拜之，开棺负尸而不骇，吃尽痛棒而不悔的人，才是真正传奇的谱写者。

最让白先勇得意的，是他成功地把昆曲《牡丹亭》推向了国际，在欧洲和美国的巡演获得了巨大的成功，英国《每日电讯报》的剧评标题是《性感女鬼回头仍是处女身》，美国剧评家斯蒂芬·韦恩说："长达九个小时的《牡丹亭》竟然只觉一晃而逝。两百多套服饰，从金光灿烂，到密锦刺绣，本身就构成了叙事性的奇观。"

反观国内，有如痴如醉者，也有冷眼旁观者。京剧演员裴艳玲曾公开说过："白先勇的青春版《牡丹亭》，是左道旁门，入不得！演两三百场怎么了？能说明什么问题？什么也没有！你说他这个好，如果你家有人学戏，你愿意用他这个版本开蒙，还是愿意用梅兰芳的开蒙？道理很简单嘛。"

白先勇似乎并不怎么气馁，因为不被他宣扬的美所陶醉的大有人在。1989 年，谢晋导演要把白先勇的《谪仙记》改编成为电影《最后的贵族》。白先勇找来蔡康永改剧本，白先生开始讲青梅竹马小伶人的故事，说到他们扮演《长生殿》的场面，站起来演给蔡康永看。

唱了两句，蔡康永没反应，白先勇停下来问：

"咦，你不喜欢《长生殿》呀？"

"不喜欢。"蔡康永老实回答，"唐明皇一个做皇帝的人，跟杨贵妃一起咿咿呀呀地翘着小指头跳扇子舞，不喜欢。"

"哎呀！"白先勇顿了一下脚，痛惜自己对牛弹琴，"那你喜欢昆曲《游园惊梦》吧？"

"也不喜欢。"蔡康永还是老实回答，"主角演睡觉，观众也睡觉。"

"哎呀呀！"白先勇连顿两下脚，"那你总喜欢《红楼梦》

吧？”他抱着最后一丝希望。

"不喜欢。他们老在吃饭。"蔡康永答道。

"哎呀！哎呀！哎呀！"白先勇把脚重重顿了三记，"怎么可以不喜欢《红楼梦》……"捣着额头，喃喃自语。

这就是白先生，他不怒，只略有恼，让人觉得他像是贾宝玉，自己在他面前浊臭逼人。

白先勇自称由于家庭和父亲和教育，成了一个国家主义者，他说："我爱中国，爱的是具有五千年文化传统的中国。我们的国家政治上不能统一，文化上确实暂时可以统一的……"对昆曲的推广，是一次美的实验，大概也是一次文化统一的实验。此时的白先勇，坚定而又有些咄咄逼人，又不像贾宝玉了，更像一个将军。

2012 年 7 月

附记：

这篇文章是为某杂志采访白先勇所作。

我跟随了白先勇两天，那时他正宣传为父亲编著的《白崇禧将军身影集》。白先勇先生敬业、和善、健谈。但那于我，却是一次很失败的采访。

采访之前，我读了白先生的全部作品和大部分的采访，两天的采访，我却发现自己得到的信息，并未超越我已知的内容。

是我太年轻了，白先生经历过的那些浮华而动荡的岁月，对我来说是水中月、镜中花，我爱慕欣羡，伸手一碰，它就碎了。

白先生不老，可也老了。他已经将近二十年没有写过小说了，他一年之中只有三个月待在台湾或大陆，接受各种采访：回忆父亲、回忆有一面之缘的宋氏三姐妹、沈从文、张爱玲，对昆曲的热爱。

——永远不必担心没有听众，一代又一代的年轻读者会对那段传说般的过去沉醉痴迷，年代越久，那段历史就显得越神秘而吸引人。

白先生大部分时间都待在美国，过极其静谧而千篇一律的生活。时间停止了流动，生活停止了更新，他一遍遍描红自己这些回忆，钩边，上色，让它们重新变得鲜艳而吸引人。

生命的运转，会在记忆里稍微打个盹，但随时会醒来。

我听说过一件事，齐邦媛先生为自己预签拒绝心肺复苏声明，放在写作的书桌上。白先勇见了，说："啊，这我也签了。"

木心：原来你们什么都不知道啊

版画家章学林 60 年代从浙江美院毕业，1980 年来到美国，认识一个叫做木心的漂亮老头。木心写作，写得好，章学林很佩服。后来，章学林却对木心有了不满："木心老师你什么都好，就是没有群众观点。"

木心立即回应："群众没有观点。"

章学林很气愤，他是受延安文艺影响的一代，接受文艺是为人民群众服务的观点，70 年代还做过《华主席和我们心连心》的版画，听到这样的观念当然愤怒。二十年后，在木心的遗作《文学回忆录》的首发式上，章学林承认，木心说的是对的。

《文学回忆录》准确地说，是一部讲义。

80 年代末，一群大陆和台湾的艺术家、作家来到纽约，便把他乡做故乡，聚在一起。画家张郎郎对于这批人有个描述，很精到，他说："没有现代嬉皮那么疯狂，属于古典雅皮，文化张扬，作风浪漫，生活清苦。"

艺术家们到了美国，一下子从"未来是我们的，是我们的，归根到底还是我们的"的共和国语境，掉入了"边缘人"的地位，不适应之余，对于艺术与智识也有了如饥似渴的求知欲。那时的陈丹青看到木心的作品，觉得非常惊艳，介绍给阿城，阿城看了他的画作，觉得好极妙极，又复印了一叠寄给何立伟……大隐隐于纽约的木心，就这样被这群华人艺术家知道且仰慕，他们时常去木心家中串门聊天至晨曦，最后索性央求他开授正式文艺课。

文学课就这样开起来了，像是孔子带领弟子周游列国，孔子自言"若丧家之狗"。木心带着学生，在精神和艺术的世界里做时空的徜徉，行过之处，有情有义。乔伊斯说："流亡，就是我的美学。"木心说自己不如乔伊斯阔气，只敢说："美学，是我的流亡。"

若以孔子弟子类比，那么陈丹青一定是颜回了，聪明过人，身体力行，任劳任怨。每堂课都写下翔实的笔记，五年的课程一共记录下厚厚的五大本，也就成了《文学回忆录》。

陈丹青写道，木心刚刚教他们的时候，惊讶道："原来你们什么都不知道啊。"

是啊，原来我们什么都不知道。

木心是乌镇人。出生于 1927 年。

那一年，国共分裂，共产党发动了"南昌起义"，内焦外患，注定是个大时代。再后来，乌镇沦陷，由汪伪政府统治。

但大时代似乎并不如我们想象的轰轰烈烈，木心的童年似乎没有受太大的影响。他自己描述，"我们小孩子们唯一能做出的抵抗行动是，不上日本宪兵队控制的学校，家里聘了两位教师，凡亲戚世交的学龄子弟都来上课。"他的童年就是读书，读孔孟、读诗词，也读外国翻译小说。看画，看山水、看水墨，也看西洋油画。

旧时的富裕人家都有这样的习惯。棋圣吴清源的自传中，写道他们兄弟几个在家中聘了家庭教师来背诵四书五经，不去上小学堂。1919 年，发生了"五四运动"，在我们接受的历史教育里，这是开天辟地的大事，可童年的吴清源似乎并未受到任何影响，宅门一关，生活中仍然只有下棋。

大时代是为少数人准备的——电影里的革命中永远一呼百应，可在现实中，也不过是百人而已。除去那些弄潮儿，大部分人只是时代的承受者，敌人来了，便谨慎苟且度日，敌人走了，继续谨慎苟且度日。

少年木心，真像是西洋小说里写的贵族少年——"万事皆足，只欠烦恼。"他描述自己的少年生活："人家出洋留学，法兰西、美利坚、红海地中海、太平洋大西洋，我只见过平静的湖。人家打过仗、流过浪、做过苦工、坐过监牢，我从小娇生惯养锦衣玉食，长到十多岁尚无上街买东西的经验。"

十几岁之后，他结束了这样平静而富足的生活，到了省会杭州读艺专，后来又去了上海读美专。

1947 年，内战如火如荼。一向只有羡慕别人生活跌宕丰富的富家少爷木心，成了热血青年，发传单，号召人民反抗政权，俊俏如姑娘，却有一身极硬的反骨。白天闹革命，晚上点上一支蜡烛弹肖邦。

木心领导学生运动的结果，就是被当时的上海市长亲自下令开除，又被国民党通缉，走避台湾，直到新中国成立才重回大陆。

章学林在 80 年代抱怨木心没有革命意识，其实，革命不过木心生命中一小段形成而已。他后来写道："我年轻时，常常听说有人妻出走——中国只有一个真的娜拉：秋瑾。革命，赴死。她是完成了的娜拉。其他娜拉都未完成，中国许多娜拉走过一条路：去延安。"

木心并非没有革过命，只是发现革来革去，成功与否，都是革了自己的命。若不成功只成仁，那是圆满，是死。若成功而没成仁，那革命者成了当权者，为之抛头颅洒热血的东西消失，那亦是死。

木心自言："从十四岁写到二十二岁，近十年，假如我明哲，就该'绝笔'，可我痴心一片，仍是埋头苦写。结集呢？结了，到六十年代'浩劫'前夕正好二十本。读者呢，与施耐庵生前差不多，约十人。出版吗，二十集手抄精装本全被没收了。"

他二十二岁那年，刚好是 1949 年。那时，张爱玲对苏青预言道："来日时势变了，人人都要劳动，一切公平合理，我们这种人是用不着了。"

木心也意识到"我们这种人是用不着了"，却仍坚持写着。直到"文革"，他的所有文章全部被缴毁。可以想象，木心这样为艺术而生、为艺术而死的人，生活在太平年景尚难如鱼得水，生活在火热的"文革"时代，会有多么痛苦。他写道："'文革'期间，陈伯达在会上嘲笑海涅。我实在气愤：他也配对海涅乱叫。结果我被批斗。"

他"文革"被囚禁十八个月，在白纸黑色的钢琴键盘上无声弹奏莫扎特和肖邦，在理应写交代材料的白纸上写诗。对于"文革"，木心在文章里从未控诉或回忆，只留下一句淡淡的俳句"我白天是奴隶，晚上是王子"，以及一句感慨："诚觉世事尽可原谅。"

木心临终前，陷入了谵妄，时常认不出人，也说不出有条理的话，他对陈丹青说："你转告他们，不要抓我……把一个人单独囚禁，剥夺他的自由，非常痛苦的……"可见并非"文革"不恐怖，也并非他已用强大的艺术修养打败，他只是用自己的一生去克服这梦魇。

"文革"过后，木心先在大陆住了一阵，后又去了纽约，晚年回到故乡乌镇。

木心少年时受了文学的启发，向往丰富的人生经历，于是背起行囊，把几十年的人生过得跌宕入戏，所有的跌宕又成了篇章，成了写作题材。一生由文学出发，最后又回到了文学。

木心说："我一生的各个阶段，全是错的。"

这话听起来悲凉，但或许是对的。木心死在乌镇，乌镇是个小镇子，殡仪馆也是小小的，挂着俗怆的绸布和标语，看起来十分可笑。是陈丹青赶来，花了两天两夜，才布置成体面得体的样子——连死都是如此。

陈丹青果然像颜回。孔子差点被杀，而颜回又和大家走散了。等到颜回终于赶上大家，孔子说："以为你死了呢。"颜回回道："子在，回何敢死。"颜回的存在，不仅是完全顺从，也是为了延续老师的鲜润光辉。

　　任何时候的传道授业都是危险的，传道的"道"越是至诚至善，这种危险甚至越大，如木心所说："山下坐着密密麻麻的平民，谁顿悟耶稣在讲什么？两千年来，也极少有人明白耶稣说这话出于什么心态。耶稣的知名度来自误解。当不含恶意的误解转为饱含恶意的曲解——十字架就来。"

　　至诚至善的道，总是教人牺牲。《十诫》里讲不可跪拜侍奉其他的神，是讲牺牲。《金刚经》里"应无所住而生其心"也是讲牺牲。

　　木心的老师福楼拜说："如果你以艺术决定一生，你就不能像普通人那样生活了。"这是讲对于生活的牺牲。

　　木心说："我养我浩然之气，这股气要用在艺术上，不可败泄在生活、人际关系上。"现代人的失败，就在于不肯牺牲："来美国十一年半，我眼睁睁看了许多人跌下去——就是不肯牺牲世俗的虚荣心，和生活的实利心。既虚荣入骨，又实利成癖，算盘打得太精：高雅、低俗两不误，艺术、人生双丰收。生活没有这么便宜的。"

　　他没有子嗣，晚年避世又避人，身边只有两个年轻人在照顾，避于莫干山写作，提笔如轻叹："是我在寂寞。"

　　寂寞不只是在生活上，也在文化史上。我们的文学史是一片封建王朝的沉疴，一片火热革命后的废墟，木心的《文学回忆录》打通中西文化，重新理解方块字，展开一幅完全不同的壮阔组图。直至今日，我们对木心仍是保持着警惕的崇拜，大陆文化界对他几乎噤声，这是源于他的陌生，还是我们的无知？大陆评论家们不熟悉他的腔调，把他的曲高和寡误以为是"木心的尴尬"，认为高不成低不就，既不能对现有的文化人产生影响，也不能使没有文化的人对他发生兴趣。

那又何妨，如他自己所说，他本来就不是写给群众看的。反正都是误解。

木心喜爱《诗经》，李白有诗，"大雅久不作，吾衰竟谁陈？"木心是我们这个时代最后的大雅，能用一派衰败的文明气脉托举出他的雅致，亦是我们的幸运。

2013 年 1 月

附记：

这篇文章是为《新周刊》纪念木心的特刊号而作。

第一次接触木心，是高中在学校书店里买过一本《即兴判断》，全是极聪明又隽永的小短句，很吃惊，不知道这个"木心"是哪个时代的人，他 / 她又有多大的年纪，仿佛黄河之水天上来。

后来经过陈丹青的一系列介绍与推荐，才了解了木心——当然，说"了解"是造次了，只知道云深缭绕处有大山，不知道它的来龙去脉。

2012 年，木心先生去世，葬于故乡乌镇，我去乌镇参加他的葬礼。

那是个小地方，唯一的殡仪馆十分简陋粗鄙，墙上挂着"不要封建迷信"之类的话，以及对未亡人淡薄的安慰。陈丹青几乎不眠不休地工作了几天，布置灵堂，挑选葬礼的音乐，这才用一种体面的方式送走了木心先生。

如今，木心的文字变得越来越为人所知、为人所爱，有人会为此觉得很愤愤不平，如同自己小心珍藏的音乐忽然成了发廊里也放的流行歌曲。我倒觉得这种愤愤没有必要。宣传木心，他会有种种被理解的可能性；不做这些，连可能性都没有。

读者在书店流连挑选，作家却无法挑选他的读者，这是作家的宿命。

审判童年

第一章

家里的鬼影幢幢

一　手足

——我只是你行走的影子

一卵容不得二胎

我没有一个从小一起长大的姊妹。直到现在，我对此也没有什么遗憾和感慨。我想，人只有真正地长大了——或者说，当后天培养的"人性"代替了天生的动物性的时候，才会感激当初在子宫里，有个资源共享者。

我曾经称赞一个三四岁的小女孩眼睛真大，长得真漂亮。只见她的同胞妹妹立刻躺到地上，身体僵直，用牙齿狠狠地咬住自己的拳头，五官全变了形，小脸儿涨得通红，全身战栗着愤怒地颤抖。

这一连串迅猛又激烈的反应看得我愣在那里。

人一生中能看到真正性情发作的时候不多，特别是当人被社会这个巨大的消化系统消化了之后，"道德""人情"培养出的人造情绪会冲在前面，主导了人的情绪。大人爱逗小孩，蹲着做出种种无聊的举动逗孩子发癫发怒，恐怕多半也是喜欢看他们原始小野蛮的反应。说到底，这同一些无赖穷追不舍地胡搅蛮缠，从街头追到巷尾，只为看到人失去理智而抓狂的一刻，性质是差不多的，都有着高等物种对待进化不完全体的优越感。

然而，现在的孩子被教得太好了，露出的孩子习性也是被教育、学做出来的"孩儿脸"，做作极了。但当你夸赞他们的兄弟或者姊妹时，却可以真切地看到他们完全不加掩饰的动物性情绪，那么纯粹鲜活的表情，简直可以拿进实验室研究。

圈养在一个家庭里，当天长日久的偏爱，代替了疏忽造成的厚此薄彼，就让人有些笑不太动了。

两个孩子中，哪个会得到更多的宠爱？

要回答这个问题真的不容易，不是所有的家庭都激赏孩子的张扬显眼，有的长辈也独怜孱弱讷言的小心肝。

然而，决定家庭宠儿的并不全然是赌博性质的点兵点将——还是有依据有规律的。不受宠的孩子各有各的天可怜见，得宠的孩子却有共通的得天独厚——他们都是更具有家族特征的那个。

一个叫做让—保尔·杜波瓦的法国作家写过一本好小说，叫做《一个法国人的一生》，开篇就写到"我"的哥哥是家中的宠儿。我的祖母尤其偏心我的哥哥，因为他有着父亲的相貌和父亲严谨成熟的征兆。"至于我，不过是在一个根部生出来的分叉，一滴精液的后遗症，一次神意瞬间的疏忽，一个胚胎的错误。"

婴儿刚在人世间探出头脑的瞬间，就面临着一项审核。考官是父母，他们只是简单地检查一下四肢，不客观地评价一下婴儿的美丑，然后就急着在婴儿尚且混沌的五官里，仔细地辨认着哪里隐藏着自己的痕迹。

这固然是人性里自私又丑陋的表现，但对于独生子女来说，这个考核多少无关痛痒：只要长得不像邻居老王，都能得到相对饱和的爱。对于兄弟或姊妹来说，他们的人生还未开辟鸿蒙，就得经历这场残酷考评。

兄弟和姊妹再酷似，也顶多是长得一模一样，智商相差无几，而不可能血液里也具有一模一样的家族遗留。所以，所谓"等分父母相同分量的爱"，只可能是自欺欺人的说法。

有许多人，要等到哀乐中年，人世间的辛酸苦乐尝了大半，才能松口谈起父母对兄弟姐妹的不公，嘴角仍要带着点介怀的酸涩的笑。这样的委屈，只能自己一边内伤一边消解，而不能投诉，到底，这是无法申诉的不公平。

金枝欲孽的兄弟

所谓"成长"这件事，说穿了，就是一个接受不那么讨人喜欢的真相的过程。其中一个真相就是：你必然生活在一个智力和体能都参差不平衡的环境中。一些人比你弱，其他的人比你强。

这个真理，在所有难以下咽的生活真相中排在"倒胃口排行榜"的前几名。我用了很多年才怂怂地接受了这个事实。接受了之后，我就想方设法地逃避它。在童年的大多数时候，我都能成功地对周围空间不相等的智能视而不见。

但是有兄弟姐妹的孩子，过早过频繁地用童稚的眼直视这个现实。童年的大部分时间都维系在一块灵敏的跷跷板上，劳累心神，都是为了争取它的平衡而做无谓的抗争。

在《一个法国人的一生》这部小说里，"我"的哥哥有一个玩具，是一个六匹白马拉着的烙铁马车，那只是来自白金汉宫附近某个平庸的纪念品店铺的产品，但"我"的哥哥从来不把它借给"我"，借口是它太容易坏而我太小。

当"我"闭上眼睛，"我"也能看到它们在"我"眼前奔驰而过，由"我"哥哥——勇敢的御手执鞭驾驶，在发光的车厢的高处随车的颠簸而摇动。

"我"的哥哥十岁的时候死去了。在他死后，"我"的第一件事情就是摆脱他，就是占有那件玩具，就是偷盗他，以不忠的继承人的狂热行为。"我"希望凭借这个物件，给"我"一部分他的荣耀，他的合法性。是的，在"我"哥哥死去的时候，"我"偷盗了他，没有内疚没有悔恨，甚至没流一滴眼泪。

大多数人读了这个故事，怕是要摇头说"不像话"的。也会有宽容温柔的人，把作者的讲述看做是对少不更事的忏悔和告解。只有同样在那个跷跷板上骑虎难下、苦苦挣扎过的人才能理解；即使理解了，也不会击节叫好，而只能发出默然的太息。

卢梭有个比他大七岁的哥哥。卢梭当然是家里被溺爱的那个，哥哥则备受淡漠，哥哥经常偷跑出去，哥俩只能说是勉强认识。后来，他的哥哥由家里逃走，一去无踪，连一封信也没有。

卢梭说:"这样一来,我就成为家中的独子了。"话语中不免有些侥幸。我却更为他哥哥的命运松了一口气,庆幸他寻摸到了一条不算太好但也不坏的自我救赎的道路。

血缘手足之间,有太多的情感是"此情无计可消除"的了,不耐烦时间消融一切,就只能选择逃脱。卢梭直到写《忏悔录》的时候,漫不经心地回忆起他的哥哥,还认为是因为父母的漠不关心,影响了哥哥的教养,导致他的放荡和出走。

叫我怎么说呢?跷跷板上被高高抬起的那一个人永远是无知觉的。即使平衡轴的另一端消失,他们也只有瞬间的茫然若失,而仍然断然坐在云端上。

世界上唯一比有一个才华横溢的兄弟更可怕的事,就是在有一个才华横溢的兄弟的同时,你自己也是才华横溢的。

中国有本书叫做《聪明小孩真聪明》,这本书有个别名,叫《世说新语》。那上面有很多聪明机智的海尔兄弟。海尔兄弟是动画人物,是由智慧老人用高科技手段创造的一对足智多谋的机器人。同海尔兄弟大冷天只穿内裤却有着滚烫火热的心肠不同,《世说新语》里面的聪明孩子,只是径自沉默着延伸着自己的聪明,脸上带着淡漠疏远的神气。

里面讲到张玄之和顾敷,分别是顾和的外孙和孙子,两个差不多大的小孩子。顾和总是和当时有名的智者清谈,聊些政治啊玄学啊之类的鬼东西,两个小孩坐在床边自己玩自己的,神情漠不关心。到了晚上的时候,两个小孩就在灯下闭着眼,一起复述主客双方的话,一句也没有漏掉。

想象这幅画面，倒没有太多温馨的感觉，两个孩子端坐着，木端端地对答如流，简直机灵得有点鬼气了。极致的聪明，是让人有种模糊的恐怖的。

中国还有本书叫做《讨厌家长真讨厌》，那本书也有个别名，也叫《世说新语》。那上面有很多讨厌的大人，让聪明的海尔兄弟的童年早早就陷入惨淡。

有句我很不喜欢的俗话，叫做"是骡子是马，拖出来遛遛"。那些家长超级喜欢遛孩子，让完全不相干的闲人决定，哪个是骡子，哪个是马。

他们最喜欢做的事情，就是热切地问当权者："你看看这些孩子里哪个能成大才？"抑或是即兴出题，让兄弟同场作文竞技。

这比生活在兄弟的阴影里还要痛苦。阴影是一种荫翳，在俯首称臣的瞬间，至少能获得片刻的宁静与解脱。生活之所以对我们耳语"在前，永远有更强者"，也是为了催促我们早早认命，而领取各人生存所需的坚韧安稳的小阁子。而这种每天要各显其能、竞出高下的生活是永无宁日的，因为暗处永远有评审团发亮的眼睛。

还是这对兄弟，张玄之和顾敷。顾和更喜欢自己的孙子顾敷，经常说顾敷更聪明，"来来，爷爷亲一个啊。"这让张玄之很不满。有一年，张玄之九岁，顾敷六岁，顾和带他们一起到庙里去，看见卧佛像，顾和又开始耍奸耍无聊，同时给两个孩子出题："孩子们，你们看佛的旁边，为什么有的弟子哭，有的不哭呢？"

张玄之说："得到佛的宠爱，所以哭；没有得到宠爱，所以不哭。"

顾敷说："不对不对，因为达到了哀乐不动于心的境界，所以不哭；因为不能脱俗忘情，所以要哭。"

真是讨厌，这时候也要争。

对于小孩子恨得咬碎牙齿的嫉妒和哇哇大哭，我能边吃爆米花边看得直笑。兄弟间为了争抢什么而厮打，我也能带着兴致，在一旁袖手旁观不去劝阻。但，对于孩子隐忍的斗智，委屈的争宠，我简直要背过脸去不忍心看，尽管我知道那是机智又稀有的。

为了生存，只能选择成为他的反面

这样看起来，好像只要有手足，生活就像《动物世界》里的非洲大草原，到处都是残酷的优胜劣汰和你死我活。但事实并不是这样，兄弟或姊妹的存活率并不见得就很低。有种兄弟关系永远是那么和谐而稳固，那就是当他们"性格迥异"时。

大部分的兄弟和姊妹，似乎都是性格互补的，内敛的妹子必然有个活泼的大姐，开朗强壮爱打架的哥哥，身后必然跟着一个瘦弱纤细、女孩子一样的弟弟——开什么玩笑！我早上起来穿袜子，都没有这样一配一个准儿过。

有一对著名的兄弟就是这种性格相反的典范：鲁迅和周作人。鲁迅比周作人大四岁，他们的弟弟周建人说，大哥是比较尖酸刻薄的那个，喜欢给人起难听的绰号。二哥周作人则完全相反，他"自小性情和顺，不固执己见，很好相处"。

这是来自旁人的评论。而鲁迅和周作人各人对于童年的回忆却很少提到彼此，让我们只能把单人的画面，强行安插组装进一个场景里面。

有一个场景总是挥之不去。黑漆漆但是有月亮的晚上，几个小兄弟并排躺在床上，鲁迅压低声音，絮絮地对着几个弟弟讲童话——那时不叫童话，叫大头天话。"天话"的材料是白天在书上看的，尽是一只头的怪兽，两只头的怪兽，三只头的怪兽。鲁迅把这些怪鄙的材料，虚幻出一个仙山来，平时万物顿时纱纱像是能瞬间变化，窗外月亮是涂了赤脸的妖怪，木床嘎嘎声难保不是什么鬼怪惶迫的嗷叫。

周作人的角色呢？他只有在黑暗处眨巴着眼睛，或是在枕头簌簌响的寂静中，终于按捺不住，追问道："然后呢？"

这对兄弟的禀赋在他们幼年的时候就分配好了：哥哥是想象力丰富的那个，有领导力的那个，笔刃锋利的那个；弟弟是带古董气的那个，追随的那个，冲淡散文的那个。

我想，就是这种各就各位的角色扮演，才能让周氏兄弟之间关系一直蛮融洽，直到中年才翻脸。

波伏娃在姊妹中也是扮演鲁迅的角色，她喜欢排幻想剧，而且总是让妹妹扮演自己指定的角色。妹妹忙着全心崇拜她。波伏娃说："正是因为有了我妹妹的存在，才使我维护了我的个人自由。她是我的同谋者，我的随从和我的创造物。"

有一个性格迥异的兄弟是值得感激的。但是我们应该感激谁？感激基因排列组合出神入化？感激造物主鬼斧神工？——真是太谢谢你们了，在胚胎阶段，就对兄弟的个性和天分有了井水不犯河水的分工。

我不习惯向陌生人感恩戴德，更喜欢在人性里找答案。

我有种怀疑：兄弟间所谓迥异的性格，并不是与生俱来的，而是前后思量、左右算计之后做出的选择——"好吧，我就采用这种性格好了。"

如同在漆金木箱子面前选择戏服，来得早的，还能自由选择熨帖于自己性格的装扮；来得晚的，就有些无奈了。白脸的戏服被人穿了，自己就只能选黑脸；有人先穿了青衣华丽的绸缎襟子，自己只能草草系了条丫鬟的白裙子就出场。

小时候，我经常和一个同龄的远方亲戚过短期的姊妹生活。每到假期，亲戚们就把我们扒拉成一堆——"你们小孩自己去玩吧。"

她长得比我好看，五六岁时，眉眼间就有种少妇的俏丽。她比我要受宠和娇纵，爱生气，总爱把人锁在门外，动不动就让人哄，而且要多人连哄，实在没事，也要人的名字翻来倒去地高声呼唤。

然后，我就暗自决定成为"成熟懂事"的那一个。我还记得有一次，大家庭同桌吃饭。我的小亲戚忙着挑食，尖叫着挣脱种种食物安排。在她大闹饭桌的时候，我则连连欠身，含着下巴面带微笑，给在桌的所有大人布菜和倒酒。这行为其实完全违背我的常态，我并不太习惯于这种赤裸裸的做作。然而那天，我坐在小亲戚的对面，隔着整个圆桌冷冷地看着她，决心一定要做出一副和她截然相反的样子，一定要处处举止都和她形成参差对照。

这种心情非常强烈，以至于我立刻就起身，做出自己日后羞惭不已的情态来。

后来，只要是假期与小亲戚聚首，我就表现出一种八面玲珑的老实乖巧来。如果，她有片刻的宁静与懈怠，我就立刻开始乖戾，恃娇行凶。家里永远有高而尖的声音，与低而缓的声音高低起伏，遥遥相和。

大人并没有因此就评判哪个孩子更讨喜，反而觉得各有各的可爱，大人们还有种坐享"齐人之福"的顾盼自得。

现在想起来，那是我人生中第一次有意识地选择某种面具戴上。

生活不易，为了双手擎出一片天来，每个人都要打磨和绘制一层层面目，用来遮住返祖还原的本来面目。

若你有个兄弟，那你得提前赶工做一个浓墨重彩的、另立山头的面具。

兄弟之间相处，太多的相似让各人的生存变得狭窄而呼吸苦难，一扭头就撞上另一个酷肖的人影；一转身，两人身上的共同点就摩擦出燃烧的火星来。

只有当其中的一个人抽身而退，另择居所，逼仄的空间才变得疏朗，有了一块宝贵的余地来培育彼此的"无间"。

二 祖父祖母

——家里拿着号码牌，排队准备着升天的旅客

慈祥有爱地谋杀亲孙

我总有这么个印象：只有百般无奈，或者是父母不负责任到了极点，才会把孩子放在一个只有老人的屋子。

老舍写过一个小说，叫做《抱孙》，故事讲的是一个慈祥有爱的老太太是怎么害死自己的孙子的。主人公叫做王老太太，第一个孙子是小产死的，第二个孙子好容易生下来，可得宝贝着，产房里放着四个火炉，小孩还盖着四床被子，五条毛毯，反而死了，真纳闷儿。

儿媳妇的肚子终于又大了，王老太太三更半夜还给儿媳妇送肘子汤、鸡丝挂面……媳妇的被窝深处能扫出一大碗什锦来，少奶奶吃得嘴犄角都烂了。

产期到了，小孩儿只探了个脑袋就再也出不来了，只能到医

院去，医生反倒先抱怨："你们这些人没办法，什么也给孕妇吃，吃得小孩这么肥大。"只得允许大夫给掏孙子，当然要说明了——要活的。掏出个死的来干嘛用？只要掏出活孙子来，儿媳妇就是死了也没太大的关系。

终于把大胖孩子掏出来了，老太太就只管趴在育婴室的窗户上盯着自己的孙子看。老太太把肚子上还有一个盆大的洞的儿媳妇放在医院，自己到底把孙子抱出来了。王老太太一上汽车就开始打喷嚏，一直打到家，每个都照准了孙子的脸射去，孙子还在怀中抱着，以便接收喷嚏。王老太太知道自己着了凉：可是至死也不能放下孙子。到了晌午，孙子接受了至少两百多个喷嚏。

到了下午三点来钟，奶妈已经雇妥了两个，可是孙子死了，一口奶也没吃。

王老太太悲愤医院靠不住，就把儿媳妇从医院接出来，接出来不久，儿媳妇的肚子上裂了缝，也不言不语地死了。

王老太太要把医院告下来，小说的最后一句话铿锵有力——

"老命不要了，不能不给孙子和媳妇报仇！"

这个故事，要是放在现在，是断然不能成文成章的。

那个时候，生命的成本价还不高，时代允许老舍这样轻描淡写地牺牲了这许多生命。而当今社会，每个生命的成本都变得很高，即使在文学作品里，杀一个人也变成奢侈的行为，必须得像做检讨一样先啰里八嗦一大堆前因后果才能下手。这样塑造一个茫然无知也无辜的连环杀手，更是一件不可能的事情。这导致如今文学背后讥讽和控诉的潜台词，软弱地化作调情。

时代限制了文学放大人性丑陋污点的倍数。要么是让人不屑的小龌龊，要么是大得无边无际——人性的破洞把人性都盖过了。

这个糊涂祖母杀人狂，即使让读者心里再膈应再反感，她却是一个放大倍数刚刚好的人物形象，让人恰好看清祖父母们一个致命的弱点——他们老了。

人一老，最明显的外在表现是他们对外在的人事失去了敏锐。

老人最大的福利，就是再没有与庞大的大世界和逼仄的小世界搏斗的义务。所谓"天伦之乐"，不过是人生在尾声中终于得空喘息。然而，正是因为不必搏斗，他们不仅荒了武功，锈了兵器，对外界刺激的被动反应都变得迟钝。

年轻时弑亲杀佛打下的天地，就这样在一种钝感中渐渐萎缩，最后，就缩到一亩地，一张藤椅，一张罩着迷蒙蚊帐的红木大床。这样就够了，反正他们的身体也随之萎缩了，因此还能蜷着持久地恬笑着。

当一个婴儿被递给祖父祖母，他们手忙脚乱地把孩子塞进自己的世界里。然而他们拥有的天地如此如此的小，能够空余出来，提供给孩子的温暖而安全的生长空间，狭小得只剩下贫瘠干瘪的怀抱。

我很小的时候，不止一次地向我妈抱怨过："我睡觉的时候，我的爷爷奶奶把我抱得太紧了。"

那时候我三岁，我爸妈同时没空照顾我，就把我送到老家——我爷爷奶奶的家里。

对那段日子，我几乎没有任何回忆，甚至也没有任何回忆的凭证。因为在那个家里，没有任何一样东西是属于我的，没有宠物，没有玩具，连书也没有。那个屋子，没有什么幼童生存过的痕迹。很多人热衷于回忆自己小时候在老家吃过的零食，因为老年人爱吃容易消化的甜食，正好对了孩子的胃口。但是我奶奶口味又咸又辣，我爷爷每顿饭都一定要有酒，所以，我对吃的回忆，是几盘乌漆抹黑的腌制肉类，和一股冲鼻而尖锐的酒味，我一边吃，一边"呲呲"地从牙缝里吸进冷气。

大部分时间我都独自坐在藤椅上。我总是不耐烦地抠椅子的把手，撕出一条一条细细的藤丝出来剔牙，剔得嘴里一股血腥味。没过多久，藤椅就被我抠出一个洞来。后来，这就成为我孤独时候下意识的动作，我上学之后放暑假，一个人在家时，也喜欢撕身子底下的竹席剔牙，张大了空虚的嘴。

有的时候，我会在门口看我们家养的几只鸡。鸡也没有年轻可爱到足以当宠物，所以我总是隔着笼子和它们对视，我奶奶要教我剁青菜喂鸡，我也没有热情。只有一次，我忽然兴致很好，从厨房抓了几把米扔进鸡笼里，还蹲着看它们吃完。我奶奶回来，发了很大的脾气，因为她从来不用米来喂鸡——她说"米是人吃的"，而且我抓的还是她最高级的糯米——她说"糯米是人都舍不得吃的"。这件事，在我童年的淘气里，算是最最严重的一桩了。

晚上，我和我爷爷奶奶一起睡，他们一个抱住我的头，一个抱住我的脚。我被死死地抱住不得动弹，有时甚至不得呼吸。这样僵直地躺着，我能活动的最大幅度，就是微微偏过头，看着床边的墙上贴着的观世音菩萨的巨幅照片——真的是照片，是电视剧《西游记》里的观音娘娘。那时候，我对观音菩萨的印象，就是一个常来串门的很白很阔气的老奶奶。

记忆里，我和我爷爷从来没有过对话。我和我奶奶会进行一个程序性的对话，就是她每天都会问我："你是喜欢爸爸，还是喜欢妈妈？"问了几个月，我终于说："我不喜欢爸爸，我更不喜欢我妈妈。"言下之意，就是我只喜欢爷爷奶奶。我奶奶很高兴，后来的年岁里，每次见到我们家的任何一个家庭成员，都会重提这个掌故——跟在拿米喂鸡事件的后面，作为知错能改的补偿。

当我妈妈来接我的时候，我奶奶当然在第一时间向我妈通知我的见异思迁。我妈当时提了一整桶桃子，那是我所吃过的最熟烂甜腻的桃子，每一个都巨大，我吃得狼吞虎咽，几乎把整个脸埋进桃子里。我从桃子里，抬起脸来，又羞赧又生硬地叫了声："诶，妈妈。"

几个月不见，我对爸妈除了陌生之外，还有一种轻易就变节的愧疚。这么快地，我就从"爸爸妈妈的孩子"，变成了"爷爷奶奶的孩子"。

祖母们有空闲坐在苍惶惶的阳光底下，皴着全部的皱纹一点点修补，扭曲，重塑。她们的叙述常常是自相矛盾的，越是不可信，祖母们越是固执地重复，完全不容一点质疑。祖母们胸中的世界，无论是结构还是色彩都完全违背构图完整，全面失真反而自成逻辑和体系，那个世界反而是最完整的。

口袋里装着绰绰鬼影的祖母

最理想化的祖母似乎是西方式的，有蓬松庞大的白发和蓬松庞大的乳房，不下厨也穿着围裙，下厨也不做什么正经菜肴，只做松饼和布丁。人生所有的"过去"汩汩地流失在脑中一个神秘的空洞里，取而代之的是花生酱与奶油的香味儿，然而拨开香气，里面是什么也没有的。

但中国式的祖母似乎不是这样。中国的祖母更像西方故事里孑然孤老的老巫婆。东方的奶奶矮身段枣核脸，总穿藏青或浓黑大袄，一开口说话只有满堂沉寂的回应——没有人有资格同她对话，除了手中总捻的佛珠，以及幽暗房间里影影绰绰的泥塑佛和菩萨，他们总与她喃喃地耳语不已。

中国祖母比西方祖母威严得多，威严的唯一倚仗就是她有满肚满肠的磨难。

侯外庐是这样描写他记忆里的祖母的："她总是盘坐在炕上，拿起一件针线活，对着小小豆油灯，自言自语起来，有条有理地诉说她生平经历的一幢幢最难忘却的往事。那些往事，似乎都是伤心事，是她的奋斗史，所以，她的声调如泣如诉，异常痛苦。"

这幅画面很平淡，却让我有一种平静的震动。如果我是电影导演要拍摄这个画面，我会让她手中的针线活越来越蔓延，最后会在她身旁围绕出一整个她脑海里黯淡惨烈的世间来。

我喜欢祖母记忆里的那个人世。因为她们的记忆总是不公平的。老祖母的胸中不仅有乾坤，而且极为繁复，收纳了几世几代，还包容了好几次元的神秘空间。

马尔克斯的传记《回归本源》写道：马尔克斯的外祖母时常身穿花纹很淡的黑色和半黑色的衣服，从早到晚轻风似的在家里飘来飘去。她的王国不在这个世界上。别的女人告诉她，她老公有外遇，她也不动声色。因为她太忙了，忙于料理活人死人相遇的阴阳两边边界上的事物，忙于用迷信保护全家人。

比方说，阴魂走开以前就应该让小孩睡觉；孩子躺着的时候如果门前有出殡的队伍经过，应该叫他们坐起来，以免跟着门口的死人一块死；应该注意别让黑蝴蝶飞入家中，因为飞进来就意味着家里要死人；如果听见怪响声那就是巫婆进了家门；如果嗅到硫黄味就是附近有妖怪。

马尔克斯小时候是个多话的孩子，当他开始没完没了地提问题的时候，外婆终于火了："鸡巴孩子！"她的喊声响彻整个老宅。一个晚上只有一个办法让他一动不动，就是用死人吓唬他。叫他坐到椅子上，说："别离开这里，要是乱动，死了的表姑和表叔就来了，他们正在屋子里。"马尔克斯被吓住，一直保持这样一动不动的姿势，像被供奉的雕塑一样挪到床上，在床上继续做噩梦，直到黎明轰跑外婆故事里的妖魔鬼怪。

同住一个宅子，祖父母却有更多夹层的空间和更多的室友，他们的空间是很多层半透明空间的叠加，鬼魅穿行其间，和我们一样衣食住行，平静有序。与这个灵异的夹层混熟了，也就没有什么恐怖，反而有一种家常的热闹。这个世界，只有祖父母能够给予，只有儿童能够承接。

马尔克斯在叙述他的童年时说："我怀着几乎虔诚的惊讶观看着鬼魂，依次打发童年消逝缓慢的时光。"

我小学的时候看过一个电影，印象很深的是这么一个情节：祖母和孙女在田间夜行，老太太牵牢了孙女的手，不远处忽然有橘红泛蓝的火光突突地跳着，孙女瑟缩着说："奶奶，我怕。"奶奶和蔼地安慰道："不怕，不怕，那是鬼火……"然后就开始讲魂灵的传说，在冗长琐碎的鬼怪陪伴下，祖孙俩相携穿行夜的田地。

画面一转，又到了几天后的大白天。孙女穿着白衬衣蓝裙子，脖子上拴着红领巾，袖子上别着表示学生干部官阶的"三道杠"，她指着祖母铿锵有力地说："小刘老师说了，那不是鬼火，是磷，磷在空气中……奶奶，你搞封建迷信！奶奶，你真不对！"

这个情节让人反感极了。小孩子还没在迷蒙中看清什么，就先学会拿着扫把一通恶狠狠地清扫：鬼火是磷，人体是细胞组成的，世界上是元素构成的，死亡是火葬了再也回不来了的，奶奶是吓唬人的……谁都别想骗到我，什么都吓不到我，哇哈哈！

一个清明的世界并不是不好，只是太过无聊。

长大之后，人比自己想象的要寂寞得多。朋友不多，知己更少。人在大多数时候，都无人陪伴，只有自己形影相吊，深夜拥被。身处一个纤尘不染的世界，烁亮的四壁全部反光出自己的脸来。这时，才后悔如果当时保留祖母那个烟雾缭绕的世界就好了，至少自己有所逃遁，不至于落到现在这样与自己穷凶极恶地对视。

对马尔克斯来说，外祖母的宅子，不是一个偶尔逃遁休憩的小公馆，而是他一生居住着从未离开的地方。

马尔克斯说："我一辈子每天睡醒的时候，都有一种亦真亦幻的感觉，似乎自己依然身处那所令我魂牵梦绕的庭院。在梦境和记忆中，我找到了童年从来没有找到过的墙壁的缝隙，听到了童年从来没有听到过的蟋蟀的叫声……"

看着祖父就是端详死亡

同祖父母一起长大的孩子，见过世界上最多的鬼怪。已死的魂灵于他们，已是热闹亲切多过恐惧。真正让孩子恐惧的，是将死未死的魂灵。

中学的时候，我们学过一篇叫做《黄油烙饼》的课文，全篇是汪曾祺模拟孩子朴拙的语气。主人公叫做萧胜，快八岁了，一直跟奶奶过。其中有一个细节我印象很深刻：

"奶奶身体不好，她有个气喘的病，每年冬天都犯。白天还好，晚上难熬。萧胜躺在坑上，听奶奶喝喽喝喽地喘。睡醒了，还听她喝喽喝喽。他想，奶奶喝喽了一夜。可是奶奶还是喝喽着起来了。"

读到这段话的时候，我几乎是瞬间回到了爷爷奶奶的床上。夜是最难熬的，我总是瞪大了眼睛小心地辨别着祖父母的呼吸。爷爷抱着我的脚，和我隔得远，我听不到他的呼吸声会无端地焦虑，就把脚贴近他的胸口，用脚背摸索着他的心跳。有时候奶奶会忽然迸发一阵呻吟，不像病痛，反而像大声呼告什么冤情，呻吟一声半就戛然而止，我急切地伸手去摸，乱摸一通，先是揪到一层异常软的皮，心里更害怕了。每天晚上，我就像出急诊的大夫一样，小心翼翼地又摸又探，忙个不停，满头大汗。

自己的身体是温烫的，有汗味和乳臭味。但在半明半昧的清晨四点钟，有什么是靠得住的呢？

和爷爷奶奶在一起时，我总担心着他们的死亡。这我从来都不敢告诉别人。

《黄油烙饼》里写奶奶刚死时萧胜的反应："萧胜一生第一次经验什么是'死'。他知道'死'就是'没有'了。他没有奶奶了。他躺在枕头上，枕头上还有奶奶的头发的气味。他哭了。"

我当时读课文读到这里，就觉得不能赞同。对一个和祖母长大的孩子来说，"死"绝不可能是这么愕然的存在。

死亡就像呼吸一样，在老人的吐纳之间时隐时现。

"死"并不是不通情理的强加，而是好商好量的一点点抽离。

川端康成从小便父母双亡，和祖父母生活在一起。七岁的时候奶奶也死了，他就与身残体弱的祖父相依为命。事实上，他第一部公开发表的作品叫做《十六岁日记》，半瞎的爷爷躺在病床上，他就在床边的灯台上摊开稿纸，快速而粗暴地记录下爷爷的话。

看这部作品，就像是看一幅死神速写的绘画过程一样，十分奇妙。文章大部分内容都是祖父的各种哼唧和呻吟声，有时也会有空茫的感慨："现在不该死的人也要死了……人人都要死啊……你给我接一下尿好吗？"

他的祖父一度变得暴饮暴食，很能吃，寿司饭团都能一口一个吞下，还狂饮不已。打杂的妇女怀疑是怪兽或者狐仙附在身上。

川端康成看着祖父吃饭团，喉核不断地动，"是怪兽在吃饭"这句话怎么也难以释怀。他从仓库取出一把剑，在祖父的床铺上空挥动着。打杂的妇女一边认真地看着他砍杀房间里的空气，一边从旁助威，说：

"对！对！好！好！"

我高中的课桌上一度贴着川端康成老年的照片，黑白照片，他穿着和服，面前的桌子上有一杯冒烟的茶。

所有的同学在经过我的桌子、看到这幅画像的时候，都会觉得很不舒服，喉咙里发出不耐烦的咕噜声。有一个我的同学在我的座位上和我聊天，忽然戛然而止，黑着脸孔把川端康成的脸用书盖起来。我有点不高兴，把书挪开，说："他又没有盯着你看。"

照片里的川端康成没有看镜头，他大侧着脸，盯着斜下方的空气，介于专注和痴愣之间。你觉得他是真的从虚空中看到了什么，但你对他的所见却没有好奇。

我同学嘟囔着申辩："就是觉得……他眼神让人不爽……诶呀，我也说不出来。"

后来我知道，和祖父生活的很多年里，川端康成常常仔细地看着祖父接近死人的脸，俨然那只是一张照片。因为对方双目失明，所以更可以长久地直勾勾地看着，而没有什么奇怪和难为情。

我想，这应该可以解释为什么川端康成的目光让人那么不适，因为，那是看死亡的眼神。无论看多少次，都觉得，那是宁静地端详着死亡这个东西的眼睛。

祖孙都是"不友善星球"的来客

战国时代的列子把人从出生到死亡，分成四个变化阶段：婴儿，少壮，老年，死亡。婴儿的时候，神情专注，元气淳和，外物不能伤害，德行最高。少壮的时候，血脉贲张，欲望外溢，外物可以随意伤害，德行变低。老年的时候，外物对他的诱力和斥力都不那么大了，反而回到了宁和的童年阶段。而人到死亡安息的时候，就彻底回到本源了。

生命画了一个完整的圆圈，老人和孩子的生命反而有着奇异的相通。老人常常任性孩子的任性，相信孩子天真的相信，游戏孩子幼稚的游戏。

《百年孤独》里写过，年迈的乌苏娜，是小小的阿玛兰塔·乌苏娜和小奥雷诺最喜爱的玩具，他们拿她当做老朽的大玩偶，把她从一个角落拖到另一个角落，给她穿上花衣服，在她脸上涂抹油烟，有一次差点儿用修剪花木的剪刀扎破了她的眼睛，就像对付癞蛤蟆那样。

不敏感的少壮，看到老人和孩子兴致勃勃地在一起或嘀嘀咕咕——或沉醉于幼稚的游戏——总是满足而高兴的，脑袋里浮现出"天伦之乐"的句子。

而我却觉得，孩子之所以被老人引为知己，引为玩伴，是老人为了帮助自己逃避死神，所以祖孙才会如此难舍难分。

敏感的少壮，对老人和孩子都敬而远之，他们总有一种感觉——老人的临终之眼、孩子的天使之眼都带点灵异色彩，能看到等闲之辈看不到的东西，可敬，可怖。

我想，这可能是因为老人和孩子既没有什么发言权，也没有什么行动权——从某种程度上来说，都是家里被遗弃的分子。所以，他们的目光冷冷的，像来自另外一个不友善的星球。

古代的笔记小说中讲过这么一个故事：有个书生到别人家做客，看到一个两尺高、垂着稀疏白发的老女人，占着桌子吃东西，饼啊果啊，都被她吃完了。那家的媳妇出来，见到这个老女人就很生气，揪着她的耳朵拽进屋，把老女人装进笼子里。

老女人的两只眼睛，向外窥视，红如丹砂。媳妇介绍这个老女人，说："这个人叫做'魅'，是上七辈的祖奶奶，活了三百多岁还没死，身体变小了，不需要衣服，不怕冷热，锁在笼子里，四季如常，偶尔从笼子里跑出来，偷吃饭能吃好几斗。所以叫做'魅'。"

不一定所有的老人都能活到三百岁，但是所有的老人都是家里的"魅"。他们用停滞的、悠长的生命漫不经心地扫视人世，身边的护驾是孩子——睁着那双狭长的、纯净的、审判的眼睛。

三　母亲

——我生，故我在

母亲的天性

2001 年得诺贝尔文学奖的作家叫做奈保尔，他是个印度裔的移民作家。他写过一本书叫做《米格尔街》。这本书就是他童年生活的那条街的全景图。

街上住着一个女人叫做劳拉，劳拉生了八个孩子。她对怀孕这周而复始的发酵过程颇为乐观，常常指着肚皮说："这事又来了。不过要是经历过三四回，也就习惯啦。当然是件令人头痛的事。"

她热衷分娩，也并不把养孩子看做苦难，她热爱她的每个孩子，那是一种结实而粗暴的爱，表达出来，往往夹杂着叫喊和大声谩骂——词汇量不亚于莎士比亚。

这种庞大的繁殖性并没有什么特别的，很多祖母辈的中国妇女都有超越她的生育能力和轻松到漫不经心的良好心态。而真正具有世界纪录意义的是，这八个孩子有七个父亲。

劳拉并不嫌孩子过多，而嫌男人太多。常常是孩子还没出世，她的合作伙伴就必须滚蛋。她这样驱赶一个赖着不肯走的父亲："别以为我给你养一个孩子，就成了你的人啦……照顾孩子是我自己的事，我不想你待在这儿，你在这儿只会多添一张嘴。"

那么，我们是不是可以这样理解，对劳拉来说，父亲只是一个精子提供者，只有生儿育女能带给她巨大的热情与愉悦。至于"男人"提供的快乐，咳，那只是一个累赘又不受欢迎的捆绑销售！

但我们不能理解的是这个故事的下集。

一天晚上，大女儿劳娜很晚才回来，她说："妈，我要生孩子了。"

劳拉尖叫了一声。

"然后，我有生以来第一次听到劳拉的哭声，完全不同于一般人的哭泣。她好像是把从出生以来聚攒下来的哭泣全部释放出来似的，好像是在把她一直用笑声掩盖起来的哭泣全部倾泻出来。我听到过人们出殡发丧时的哭声，其中有不少是装模作样的哭泣，那天夜里，劳拉的哭泣令人毛骨悚然，是我有生以来听过的最可怕的声音。它使我感到整个世界是一个空寂无聊且悲惨绝望的地方，我几乎要和劳拉一起哭起来。"

一夜之间，劳拉丢失了自己所有的快乐与青春，变成了一个老太婆。她甚至也不再打骂孩子了。

接下来是结尾的结尾：

劳娜投海自杀了。当警察来通知劳拉这件事时，她只说出几个字。

劳拉说，"这好，这好，这样更好。"

自己乐此不疲地生孩子，却难以容忍自己的孩子生孩子？这种变态的母亲心理是多么稀有罕见啊……哦，不，这个故事叫做"母亲的天性"。

"放下屠刀，立地成妈！"

母亲的天性到底是什么呢？

弗洛伊德有个徒弟叫荣格（荣格和弗洛伊德不一样，他并没有令人害羞地天天把性挂在嘴边），他有一个理论，说所有母亲本源的心灵原型都是大地之母，所有人心中的母亲形象，都是在地母形象的默认基础上再做一些个性化的自定义设置。这样一来，我们似乎很容易归纳母亲的天性：博大，无私，奉献，自我牺牲——全是一些大得要深呼吸才说得出口的形容词。

女人是一种肩膀狭窄、臀部肥大的难养的动物。然而她一旦升级到进化版，母亲，她就立刻变成闪着圣洁光辉的女神。

我忽然有个哽在喉间的疑问——如果女神是你妈，你愿意吗？且让我们看看那些著名繁殖女神的画像。

我们中国人自己的繁殖女神是女娲。根据鲁迅在《故事新编》里面的描述，女娲在一个漫长无聊的午觉之后，无意中揉捏出一个和自己差不多的小泥人，她带着欢喜与诧异，又做出许多来，这时，女娲耳边满是嘈杂的嚷，嚷得颇有些头昏，她烦躁地拔起一根藤，在泥水里一搅，再一抡，拌着水的泥点落到地上，也成了呆头呆脑、獐头鼠目的小人。女娲以恶作剧地诡笑飞速地抡着藤，泥点飞溅，在空中就成了哭嚷着的小东西，爬来爬去撒得满地。

女娲死于补天，而非造人。

这个故事让人心惊又心寒。女娲造人，粗制滥造不说，而且还是以一种近乎残忍的游戏心态。我们膜拜感激了那么多年的女神，原来只是报纸社会新闻版上常见的虐童的妈。

那么异邦呢？维纳斯是古老神话里的生殖女神，圣母玛利亚也算是西方最有名的妈。她们有相似的体貌特征，都有一头璀璨又闪烁的金色长发，而且永远带着矜持柔顺的少女气，她们又是你心中理想的母亲型吗？不行不行，她们太美了，惊鸿一瞥的丽影要做成画像和雕塑让无数人憧憬千年，因此，脸上绝不能露出养孩子带来的憔悴和疲惫。

尤其是维纳斯，她身兼生育之神和爱情之神，当她袒胸露乳、面色潮红、眼神迷醉地投入爱人的怀抱，谁来照顾缺奶的孩子？

我以审核保姆的标准，一个个淘汰了这些女神。

母亲只能是私有的黄脸婆，不能是人人仰慕的大众情人。

母亲是女神无法胜任的兼职——这句话反过来说也一样。事实上，每当有人回忆自己的母亲是多么圣洁美丽时，我总是忍不住感叹亲情道义的力量好伟大，能让人轻易就自我蒙蔽——我表面上一副真挚感动的嘴脸，内心深处却深知不能当真。

对于"完美女人"样的母亲，孩子长大后除了满腔怨恨，我想象不出还会有什么其他情感。

最典型的例子就是叔本华。

叔本华有一篇著名的文章，叫做《论女人》。读这篇文章时，我几乎读两页就要擦一把冷汗，抚胸口顺口气——"让我先压压惊。"

这篇文章里充斥着这种论调："女人最适宜的职业是看护和教育儿童，因为她们本身实际上就很幼稚，轻佻漂浮，目光短浅，一句话，她们的毕生实际就是一个大儿童——是儿童与严格意义上的成人的中间体。"

"只有当性冲动时，男人才会失去理智地认为矮小、窄肩、肥臀与短腿的人是美好的，女人的美都与性冲动紧密相关。与其说女人是美丽的，还不如把她们描述为没有一点美感的性。"

"在欧洲，本不应该有什么贵妇人的存在，她们就应该是家庭主妇，或是想成为家庭主妇的女人。"

我故意用断章取义的做法，叔本华对于女性的蔑视更明显得令人咋舌。后世当然不允许一个思想上的"伟人"这样赤头白脸地侮辱人，太有损形象了不是？于是后人奋力地挖掘他的童年经历，希望找到一些被女人伤害的"童年阴影"——想自作多情地为叔本华开脱罪名，也为自己找点事做。

还真是不负有心人，经掘坟发现，叔本华小时候和他母亲的关系很糟糕。

叔本华的妈是个名女人，她举办的沙龙级别很高，德国文化圈叫得出来名字的基本上都参加过她的沙龙，像是歌德啊、格林兄弟之类的。小时候，叔本华就坐在香艳热闹的客厅角落的沙发，静静地看着他的妈妈花蝴蝶一样穿梭，轻快走动时衣角掠过不知是谁的脸，只知引起一阵迷醉。

叔本华的妈自己也写书，你大概也能猜到是哪类书，就是一些浪漫小说。而且这些浪漫小说的模式基本一样，主人公总是一个少女，经历过摧枯拉朽的强壮的爱之后，为了各种现实原因，而嫁给一个更门当户对的对象。那段年轻热烈的爱情却没有死亡，而是制成了干花，撒上袭人的香水冒充泪水，放在频繁打开的那个精致抽屉，每次回忆都是一阵做作的可歌可泣。

叔本华是目睹着他母亲的"哀愁"长大的。他深深地厌恶自己的母亲，而相对于他内心深处的愤怒与痛苦，他和她母亲的唇枪舌剑看起来未免太小儿科了——他们有一段著名的吵嘴子：

母亲：（捡起儿子的哲学著作《论充足根据律的四重根》）这肯定只是给药剂师做包装之用。

儿子：甚至在破烂收藏室里也找不到一部你写的那些书时，仍然会有人读这些著作。

母亲：你的那些书，印出来以后也将堆放在仓库里。

我当时如果在吵架现场，肯定会急得跳脚，这种层面的争吵像是女人打架，撕头发抓脸皮，目的只是为了让对方露出最狼狈丑陋的样子，却一点不伤脾脏，不着关键。

也是很多年之后，叔本华才徐徐地、有条有理地、招招致命地写出了这篇《论女人》，汩汩流出这篇他从童年就开始打腹稿的对母亲的抱怨书。

其实，所有的抱怨，翻来倒去都只是一个道理——女人一旦做了母亲，就要解除上天赋予的种种装备和武器，放弃性别优势。

大自然里也有例子：母蚁在受孕之后就失去了双翅，因为孕育期双翅毫无用处，弄不好还会危害其生育。

张爱玲的母亲也是一个不愿意解除女性柔能克刚的装备的美妇。她在张爱玲小时候就离婚去了法国，写诗，画画，关注时装，学习一切花里胡哨的艺术。张爱玲十六岁的时候，她带着纤灵斑斓的美好气息回国，重新审视她睽违多年的女儿，并对张爱玲的笨拙无灵性深表遗憾。

这种距离感是我所能想象到的最可悲的母女关系。

然而，女人对女人，天生有一种同病相怜的低柔的默契，所以张爱玲并没有把这一笔狠狠地记在账上，日后伺机报复——她甚至没有把它当做童年阴影。

虽然没有阴影，但却有一道淡淡的肉色伤疤，多年以后，仍能认出它还在那儿。

张爱玲对人性的注视，早早地就没有那一层虚假的、温情的纱质遮蔽。这事幸与不幸谁也说不准，然而，清醒因为失望，这一点确凿。

"母性"是一个人最早接触到的人性，是孩子对人性选择"信"与"不信"的理论来源。"母性"没有给一个孩子温柔的慰藉，那么，对人性，也就谈不上什么坚固的信任了。

而"母性"一旦产生，就毁灭和掩盖了其他的人性选项。

"放下屠刀，立地成妈！"

冥冥之中传来的声音好似低沉的雷声，然而这不是什么神圣佛偈，这是孩子对母亲下的最后通牒。

这个通牒并不无理取闹，人类历史上最强悍的事业女性是这样评论她的子女的：

"在他们长出点人样之前，我对他们没有任何好感，丑陋的婴儿是非常恶心的东西……只要他们的身体还是那么大，胳膊腿儿还是那么短，动起来还像青蛙一样……就算最好看的那个脱下衣服来也是可怕的。"

说这话的人叫维多利亚，她是英国历史上在位时间最久的君王，她当了六十四年女王，爱丈夫，爱祖国，爱政治，爱谦卑地臣服于她脚下的臣民，她爱天底下一切伟大的大，卑小的小，然而，她打从心眼里真诚地憎恶她的九个孩子。

叔本华应该庆幸，至少他没有摊上这样的妈。

总有一种爱湿漉漉，黏答答

摊上什么样的妈算幸运呢？相反的怎么样？

荣格所说的"地母"既然不是高贵女神式的，那是不是更类似于非洲的女性雕像，眼神空空的，脸上有着哺乳动物饱食后特有的安逸与茫然。她们总是盘腿团坐着，沉甸甸的乳房搁在肚子上，沉甸甸的肚子搁在大腿上，她们的一生春夏秋冬三百六十五天一天二十四小时都处于孕育状态。

我在上文中提到的母亲——包括各式女神在内，她们虽然生过孩子，但是却没有做过一天母亲。而我将要提到的这种母亲，她们不怎么算是人，而是一个行走着的包罗万象的子宫，源源不断地提供着爱与营养。

　　古罗马的时候，曾经有一场争辩。辩论的话题很老生常谈：父母之爱是不是出于本能。其中伊壁鸠鲁派信徒确信父母疼爱子女是出于利益考虑，想在年迈时得到子女的照顾，或是因为子女的出生能为他们在社会福利和税收上带来好处。

　　这种理论的支撑显而易见：母亲和孩子之间爱的收支不平衡。没有人会为没有回报的付出买单。

　　这种会计式的算法合理又客观，但是却忽略了一个决定性的微小因素：对一个人，巨大的安宁与幸福，往往来自于对"献身"行为的享受和自我欣赏，而不是来源于索取。

　　分娩和哺育，是最最缠绵的一种身体关系了。

　　我曾经看过有人用呓语式的抒情口吻去赞美哺乳的行为，把来自孩子的吮吸和情人的抚慰相对照，两者都美妙非凡，然而情人的抚慰只能暂时弥补安全感缺失的空虚，孩子呢，哦，孩子的嘴是无限依依与无限忠诚的。

　　古代人迷信爱与生命是通过乳汁输送的。在汩汩输送的过程中，茫然无知无觉的是孩子，陶醉享受的是母亲。

　　这样的关系往往出现在寡居的母子之间。

　　伊朗有个作家叫做雷瓦那，他是母亲养大的孩子。他回忆中相依为命的母爱却没有那么美好：

"我肯定自己不喜欢她，但她疯狂地爱我。她的爱充满犹太女人的贪婪。每次她生硬地将我从寄宿学校接回来时，都发疯地扑向我。她的吻是那样残酷、猛烈，让我觉得是在挨打。我是她生存的唯一理由，继续生活的希望……她的吻几乎让我死去。

我清楚，母亲对我来讲不是温馨的梦，不是乳汁，也不是皮肤，而是毒汁、鲜血，是体内循环的骇人的东西，总之，是死亡。"

我见过这种母爱，我认识这种母爱，我经常在我的一个小学同学身上看到这种母爱。

母爱湿漉漉黏糊糊的，像一大块永远也洗不干净的污渍一样，在他身上随处可见——在他过于粉白的团圆脸和过于红艳的嘴唇上，在他用摩丝抹得整整齐齐的刘海上，在他钉在书包上随风飘舞的小手绢上。

每天早上，当他走进教室，所有人都一眼就看到他身上显眼得让人尴尬的母爱。

这个男孩子发育得早而烂熟，小学的时候体检，他的胸围远远地超过了班上所有的女孩子。他高大雪白，长得异常丰腴美艳，很喜庆，然而母爱给他带来的羞辱，让他常年处于恼羞成怒的状态，脸常年是愤怒的潮红，有事没事就要拖过一个弱小的同学死捶不已。

他虽然是班里最欺良霸善的恶霸，但是却没有人害怕他。每天上午两节课后，他妈妈都会固定地手拿红薯和牛奶，深情地出现在窗边，注视着她的儿子，满眼的欲言又止。他在注视下抓耳挠腮，坐立难安，刚刚建立起来的一代恶名顿时毁于一旦，当他的妈妈在教室窗外对儿子进行喂食以及清理食物残渣的活动时，班里总有许多同学趴在窗台上起哄："娇气包！""羞羞，不害臊。"这样的情况持续几年之后，同学们的起哄也渐渐改变了，大多是暧昧的暗示与冷冷的谴责："哟！老婆喂老公！""哼哼，不要脸。"

小孩子的敏感与残忍真让人害怕。

那位同学在小学毕业之后我就再没见过了，也许是因为发育来得早去得也早的关系——他给我最后的印象是猥小瑟缩的，总是低着头向上射出惊疑不定的目光。回忆到这儿，我才忽然开始惴惴不安：我们这班同学会不会给他留下什么阴影？

后来，我自我开脱地想：要是有阴影，阴影也只会来自于他的母亲。

就像法国作家罗曼·加里，他从小和寡居的母亲生活在一起，他写过一本自传叫做《童年的许诺》，回忆他与母亲的生活固然是眷依不已，但怀恋中其实也不无抱怨。

有一个细节让我印象很深刻：

一个人侮辱了我的母亲，十岁的我打了他。这是我漫长而光辉的打耳光生涯的开始。母亲开始赞叹我的行动，从那天开始，不管有理没理，每当她觉得受到侮辱时，她便来向我申诉，对遇到的侮辱提出一成不变的、却并非总是准确的看法，然后说："他以为没有人可以保护我，那可大错特错了！你去，给他两记耳光。"

侮辱多半是臆造的，但我仍履行我的职责。

我于是鼓起勇气，忍受羞耻，去寻找被指名的某个倒霉的钻石商、肉店老板、烟铺掌柜或古董商。

对方看到一个全身战栗的小伙子走进店堂，双手握拳，逼到他的跟前，用气得发抖的——一种从孝顺心理迸发出来的恶作剧的愤怒的声音说："先生，你侮辱了我的母亲，现在该瞧我的了。"刹那间，这个倒霉家伙立刻挨上了耳光。

他的境遇和我同学完全不同：一个是被母亲严实地保护着，一个是被母亲索取严实的保护。然而，奇怪的是，两者带来的感觉是完全相同的。

用罗曼·加里的话来说——"谁也无法想象，我对这种行径感到多么厌恶，它给我带来说不出的屈辱与痛苦。"

我想，这大概是因为母亲这种生物，太热衷、太善于营造出"相依为命"的生存气氛了，这几乎是每个母亲都具备的无与伦比的天才。她们能即刻创造出一个只容下两人的、潮湿的环形空间，自产自销的源源不断的爱，是养活和维持这个二人世界的营养来源。

可笑又可怕的地方在于，这个"相依为命"的二人组是反外界的，社会于他们是充满恶意又张牙舞爪的大怪兽，成年男性于他们只有恐惧与厌恶。于是，两人就只有抱得愈紧，愈紧。

这实在值得警惕。让我们把罗曼·加里的话当做警钟：

"有了母爱，从童年开始，生活便向你展现一幅美妙的图画，但却永远是一幅画面，你以后不得不终生品尝冷漠。从此以后，每当一个女人把你搂在怀里，把你紧贴在她的胸口时，你不会感到别的，只会感到哀伤，你会像一条被人遗弃的狗，跑到你母亲的墓前大声喊叫。你不会再得到别的，永远不会。

可爱的胳膊搂在你的脖子上，甜蜜的嘴唇向你诉说着爱情，但你仅仅是顺水推舟。你早早地来到泉水边，把泉水已经喝干了，当你又感到口渴时，你到处寻找，却枉费心机，再也找不到一口水井，看到的只是海市蜃楼。你从童年就沉浸在爱河里，有了这样的体验，以后每到一个地方，你就会进行有害的对比，就会白白耗费时间去等到你往昔经历的东西。"

罗曼·加里的意思表达得温婉含蓄：母爱来得太早太年轻，会让人对未来的爱有不切实际的期待，以为"爱"就是"被爱"，所有的奉献都是理所应当。

我们是彼此的战俘

罗曼·加里有所顾忌，关于母爱的副作用，他只选择公布程度较轻的一部分。

程度较重的又是什么？当所有的乳汁都被灌注完而干涸，当所有的奉献，都奉献到无可奉献，当所有的爱都没有富余可以交换，那就只剩下生命可以索取和交换了。

有些母亲一辈子都理所当然地相信，那个由自己分娩哺育倾尽全爱的小不点，是完完全全属于自己的，他们的灵魂自然是她国土的一部分。

这些母亲的子宫并不是一个暂时性的培育器皿，而是一个巨大而牢不可破的收纳箱。里面收纳了什么？自然是孩子的一生。

还是让我们拿可爱的罗曼·加里当例子。他自述说：

我那时才八岁多一点，她就开始为我杜撰将来在情场上的"业绩"，开始设想叹息和眼神，情书和誓言，月光下阳台上悄悄地拉手，白色的军官制服和华尔兹舞，以及那窃窃私语和苦苦哀求。她坐在那里，垂下眼帘，搂着我靠在她身上，嘴上浮现出有点儿内疚但却异样年轻的微笑，向我说着各种赞赏的话语。我懒洋洋地偎依着她，边听她说话，显出漫不经心的神态，但却怀着浓厚的兴趣。

罗曼·加里的母亲要做他生活的导演——主人公要依靠导演说戏，才知道自己未来人生的戏码；母亲还要求掌控孩子生命中的情感，长度浓度烈度，爱情尤甚。

母亲对孩子的生命索取无度，这是众所周知的恶习，便按下不表。

然而，很少有人提到的是，孩子对母亲的生命也有不足为外人道的觊觎。

不久之前，我曾经假装很学术地向我妈咨询："是不是所有的母亲都会经历叛逆期？"

"什么意思？"

"我的意思是说，想叛逃'娘'的身份的念头。"

"有的，这种念头一般出现在孩子三岁左右的时候。那时候，孩子基本长成人形，也断了奶，基本上不需要妈常年在床头照顾着。女人对当妈这档子事已经丧失新鲜感，烦都烦死了……那时候我们还不算年老色衰，身材还没有完全走样……"

我妈还没有把话说完，我便露出了真正阴郁的面孔，问道：
"那你嘞？你在当妈以后也有不安分的时期？"

　　我妈妈稍微露出一些思考的神色，我就立刻发出惊疑不定的
惨叫声，然后收拾行装，做准备分家离婚状。

　　我夸张反应下隐藏的怪异心理其实已根植多年了。

　　现在，我脑海里时常还能唤醒一幅画面，一幅埋藏在我童年
记忆里面的画面：

　　那时，我大概三岁还是四岁，我妈早起准备上班，我还没起
床，半坐靠在枕头上看着她的背影。我妈穿上一件质地轻薄的草
绿色夏季套装，短卷发烫得失败又疏于打理，她只能不停地用手
把头发往后捋，脖子上就堆出一层层短暂的波浪来。最后，她俯
下腰，提起高跟鞋的鞋跟。高跟鞋发出沉着的"噔""噔"声响彻
屋子。

　　每到这时候，我的太阳穴就随着鞋音"突突"地疼，心里一
阵突如其来的不安与烦躁："她要出去！她出去是要见谁！"我妈
快走出门的时候，我满脸阴郁蓄积到了可怕的程度，朝她做无声
地怒吼："你胆敢走出这个家门！"

　　只听"咚"的一声关门声，我妈就离开这个家门了。

　　在我五六岁的时候，我无缘无故地怀疑我妈和她的一个男同
事有私情。我妈办公桌玻璃板底下压着一张照片，那是她和其他
同事老师的合影，她身边站着一个白白的戴眼镜的斯文男人——
整张照片只有他们两个最年轻好看，在一群灰头青脸的中年人中
鲜明得刺眼。

当我妈去上课时，我一个人留在她的办公室。我拿出一杆圆珠笔，在她男同事的脸上开始用力地画起来。圆珠笔没有水了，我把那个青年男子的脸画出一片白花花的狼藉，五官支离破碎，看起来可怕极了。

我妈上课回来之后，我面无表情又憋不住得意洋洋地把照片向她展示，看到她男同事比无常鬼还要恐怖的脸孔，我妈受惊不小。

我是人类历史上最令人发指的多疑妒夫，我皱着眉头严密监控着我妈和每个异性的眼神交流，我对我妈的怀疑和控诉全来得毫无根据，我脑海里经常出现"生是我妈人，死是我妈鬼""一日为妈，终身成妈"的可怕标语。

归根到底，我对我妈的生命也有强烈的占有欲。这种占有欲最可怕。母亲对孩子生命的占有，大多还能在无力无奈中好始善终，孩子对母亲的生命却很难松手。当母亲妄图导演孩子的生活时，她对孩子的设定大抵还是多姿而绮丽的。而当孩子主导母亲的生命时，孩子却严重缺乏想象力和热情，安排的剧情是——哦，不好意思，没有剧情，做一个长期稳定的乳汁供应者就可以了。

而且，孩子敏感到了极点，一旦感觉周围那层潮湿带点腥气的母性气团有所稀薄，立刻就会警觉而怨恨。

我还在这层母性气团里汲取生存原料——直到现在，我从未觉得自己离开过子宫。

如此如此哀伤，如此如此不能抗争的宿命

总有一种爱是那么不对劲，这种爱就是母爱。世界上不存在合适的母爱——或者说正正好的母爱。

母亲的距离要不就渺无踪影，要不就近得让旁人看笑话；母爱的温度要不就冷若冰霜，要不就烫得在心上留下肉红的疤，一颗好好的心就这样破了相。

三国时的孔融有个著名的理论：孩子对于母亲有什么大不了的嘛！就如同放在瓶子里的东西，拿出来就完了，就没有任何关系了。

意思是说，当孩子被镊子从母亲的体内夹出来的一刻起，两个人就不再有关，也不必有关。

这太不合理了。母亲是一个没有瓶口的瓶子，外人进不来，孩子更出不去；若要拿出来，必是玉石俱焚。

孩子和母亲的命运难以分割，纠缠难舍是因为互相占有，互相占有是由于对彼此生命的嫉妒。

塞尔维亚作家米罗拉德·帕维奇写过一本似真亦幻的《哈扎尔辞典》，里面有一则小小的隐喻，恰好能够说明母亲和孩子如此哀伤的宿命。

阿捷赫公主这样叙述她的母女生活：母亲的生活我已熟记在心，每天早晨，我花一个小时在镜前扮成我的母亲，就像在台上演戏一样。此事日复一日，延续了数年。我穿上她的裙袍，拿着她的扇子，我模仿她的发型，把头发编成羊毛女帽的样子，我不

回避他人在场，我甚至在我心爱之人的床上模仿她。情欲炙热之时，我自己已不复存在，我就是她。

我的模仿过于逼真以致我的情欲荡然无存，全部让位于她。就这样，她将本属于我的爱的抚摸提前窃走了。

但我对她毫无怨言，因为深知她的欢愉也被她的母亲用同样的方法掠夺一空。假如现在有人问我这种游戏于我何益，我会这样回答：我欲再生一次，且求活得更好。

四　父亲

——生孩子，何乐不为？养孩子，岂有此理！

"无月经综合征"和"子宫嫉妒症"

有种病你一定没有听说过，这种病叫做"无月经综合征"。不对不对，这个病指的并不是妇女内分泌失调不孕不育，这个病只有男性才得。

这是心理分析家卡伦·霍尔奈分析出来的。她分析女性得出的结论是：为母之道给女人提供的心理优越感无可争辩，无论如何也忽略不得；当她开始分析男人的时候，却得到了一种最令人震惊的、强烈的嫉妒印象——那就是对乳房的嫉妒，对吮乳行为的嫉妒，以及对怀孕和生孩子的嫉妒。

我不知道你脑海里的画面是否和我一样：一个略略发福的高大中年男人看着喂奶的奶娘，然后偷偷用手掂量自己过于细瘦的乳房，又怨孽又自怨自艾地咬碎银牙、原地跺脚、擅自撒娇。

然而，这滑稽好笑的画面只是夸张，而不是污蔑。男人对孕妇的身份觊觎良久，这是自古以来的传统，抵赖无效。

古代南方的獠族妇女，刚生下孩子就下地干活，烧火做饭打柴割草，呜啦呜啦地唱着咱们女人力量大的快乐劳动歌。她们的老公呢？则病怏虚弱地裹着被子坐在炕上，女人坐月子吃什么他们就吃什么，稍有闪失，产妇得的病他们也会得，人称"产翁"。

我最感慨的，其实是獠族妇男们强大的自我欺骗能力，他们竟真能假装自己对怀孕分娩这件事做出了巨大牺牲和贡献，还邀功请赏。还有些男人，无法自我欺骗，却不打算善罢甘休。

在巴布亚新几内亚高地上有个桑比亚部落。部落里的男人，都是很厉害的武士。他们经常对自己的村庄进行袭击，把男孩子从母亲的安乐窝里抢走，把他们扔进各种各样的男人身份的考验中。

然而，无论是多么强硬和男子汉的训练，结束之后，幼小的男孩们还是会回到绵软的乳房中，嗷嗷地寻找着妈妈的奶头。这不免让武士们十分不满，于是，他们一心与女人作对，与母亲作对，与乳汁作对，男人们决定男孩不能吃母乳而该吃精液。

具体喂养方法咱们就不必强迫自己去想象了，这也不是重点。真正重要的是男人的心态，他们在这场没有可比性的攀比中走得太远了，他们宣称置入女人身体中的精液不仅使她们怀孕，也使她们产生了乳汁——乳汁只是精液在女人体内加工包装过后的精装版。

男人们这种幼稚的心态，还真是，非常的……男人。

世上本无爹，何处惹尘埃

倒不如直接承认吧：世上本无父亲这回事，做的人多了，也就有了爹爹这份职业。

本来嘛，人类的生育成本几乎全部都由女性的一方承担。女人一生只能制造四百个卵子，男人每天大约就可以制造出差不多一亿多个精子。如果每个精子都能生育一个婴儿的话，那么仅仅用两个月，一个男性所生成的精子数量就相当于全球总人口数量了。所以，男性的机会成本是零，而女性的机会成本却几乎是无限大的。

有个叫做理查德·康尼夫的美国作家曾经统计过——

"女性必须为怀孕投资的热量是80000卡，大约等于她从纽约跑到芝加哥（2500千米）所需的热量，为哺育婴儿一整年必须再投下18.2万卡——差不多够接着一路跑到旧金山了。

至于男性为奉献那一粒精子所耗费的力气是0.00000007卡，还不够他在床上翻一下身放个响屁需要的热量呢。"

所以，男人和孩子的关系——比起母子、母女之间血肉相连、脐带相依的纠结缠绵——更类似于一种凑巧的社交，温情时隐时现，尴尬却伴随终生。

当我年轻、气血正旺的时候，我从道德上诚心诚意地看不起和鄙视卢梭，因为他把自己的五个孩子全部送进了育婴堂，轻松地短吁一口气拍拍双手，像送走了上门卖百科全书的推销员。他是这样说的："这种处理（把孩子送去育婴堂），当时在我看来是太好、太合理、太合法了，而我之所以没有公开地夸耀自己，完全是为着顾全母亲的面子。"还要怎么公开？穿着育婴堂赠送的荣誉马甲满街溜达吗？

等我年纪大了，物是人非事事休了，我才愿意承认：不愿意做父亲的父亲，并不是最坏的父亲；甚至，客观说起来，大部分普通的非职业父亲杀伤力还更大哩——当然，他们自己并不知道。

你问我为什么畏惧你

有一个典型的父亲，就是这样以一种毫不自知、理直气壮甚至略带漫不经心的态度谋杀了自己的孩子。

这个父亲就是卡夫卡的《变形记》里格里高的父亲。

"当格里高·萨姆莎从烦躁不安的梦中醒来时，发现他在床上变成了一个巨大的甲虫。"

当格里高被这个命运这个突发奇想的强加逼得无路可逃，不得不走出自己的房间，来到客厅面对自己家人的时候；当变成甲虫的格里高第一次走出自己的房间，出现在客厅的时候；格妈妈被吓了个半死，而格爸爸的反应则是怪异粗暴的——

"父亲拿着手杖，蹬着脚，扬着手杖将格里高往他的房间里赶。格里高请求父亲不要这样，但无济于事。他像个野人一样，毫不留情地挤出了嘘嘘之声。每时每刻都可能用手里的手杖将他往死里打，或者打在背上，或者往头上打。"

格里高还未学会熟练地运用自己的新四肢，当他好不容易几近成功，却卡在自己房间的门上动弹不得的时候，"父亲从后面给了他真正解除痛苦的一击，这一击是沉重。他猛烈地一跃，跃进房间很远，父亲还在用手杖敲门，最后一切都沉寂了。"

自此之后，父亲的每次出场都像一大坨乌黑的雨云让小说的气压骤然降低，而最最紧张、让人透不过来气的片段，莫过于格里高和格爸爸的一场巷战。

"父亲把长制服的下摆往后一掀，两手插在裤兜里，脸色阴沉，朝格里高走来……父亲一会儿停着，一会儿急步向前，一会儿又不动弹，格里高总是逃着，就这样，父子两个在房间里兜圈子……有时候，他担心由于父亲的狠毒会挡住他逃往墙上、逃往天花板上……他怎么也没有想到除了急步爬行逃跑外还有什么自救的办法。"

然后，父亲开始用苹果来袭击格里高。格里高由于惊呆了，他站着不动，动也没用，因为父亲已经决定轰击他——父亲并不计较准确与否，只是向格里高一个一个地扔苹果，这些红色的小苹果像带了电一样在地上互相滚到一起，又互相撞击开来，其中有一个打中了他的背。格里高疼痛不堪，又震恐迷惘地躺在地板上。

格里高被这个苹果砸得几乎永远丧失了活动能力，在被遗忘的饥饿中死去了，而那只作为武器的苹果则始终在地上，因为谁也不敢去取走——

"苹果搁在那里作为一种虐待的纪念。"

在我看来，《变形记》是卡夫卡所有小说中最真实的，它纪录片一样重视描述了卡夫卡的一个噩梦。每一个片段都是卡夫卡大汗淋漓起床后的"追忆似鬼年华"。

最大的恐惧来自于父亲。

"最近你问起我。你问我为什么畏惧你？一如既往地，我无言以对。"

这是卡夫卡写给父亲的一封漫长家书的第一句话。父亲和卡夫卡是完全相反的人，卡夫卡孱弱，寒气逼人，淡泊冷漠不知所措；而父亲就是《变形记》中格里高的父亲——健硕，食欲旺盛，自鸣得意高人一等。

父子二人不仅是人种不同，他们也生活在世界的不同部分里。

卡夫卡对父亲写道："世界在我眼中就分成三个部分，一个部分是我这个奴隶居住的，我必须服从仅仅为我制订的法律，但是从来不能完全符合这些法律的要求；然后是第二个世界，它离我的世界极其遥远，那是你居住的世界，你忙于统治、发布命令、对不执行命令的情况大发雷霆；最后是第三个世界，其他所有的人全都幸福地、不受命令和服从制约地生活在那里，只有我永远蒙受着羞辱。"

父亲存在的所有意义，就是让孩子相信——自己这个拙劣仿品的存在其实并没有意义。

我们生活在一个永远无法讨好父亲的世界里。就连萨义德也一样。

萨义德是著名学者、理论家，由于提出了"东方学"而广为人知。他家里有钱，超级聪明——中学毕业时是毫无争议的第一名，钢琴的造诣也深。

总之，是个无挑剔无死角到欠扁地步的小孩儿，然而他在自传《格格不入》里却回忆说："（我的父亲）永远以三个手势提醒我的失败，第一个失败，是一手握拳，往后朝肩膀一缩；第二个失败，是五指箕张，像鼓翼掠水般由左向右划；第三个失败，是摇一根手指。"

"他在世之日对我最吓人的一句话——当时我只有十二岁——是'你永远继承不到我一丁点东西；你不是有钱人的孩子'。"

"我叫我父亲 daddy，叫到他离世那一天，但我时刻觉得这字眼多么偶然，我以他儿子自居是多么不适当，我每次问他要什么，不是大为忧愁烦恼，就是不知所措，需要好几个钟头的心理准备。"

的确是这样，回忆起小时候，父亲对我少有的几次心血来潮的教育，几乎全部是以威胁恐吓为形式的。

我爸爸有一双骇人的大眼，还有黑压压杂乱的浓眉压在眼皮上。每当他想传授给我什么的时候，他就会突然猝不及防地靠近，提高音量，舞动他的浓眉，圆睁着眼睛，提醒我，我已经进入了他的怒气领域和力气范围。

当然，技术上，我爸从未正式打过我，但是他发明了一种恶作剧的施暴方法，就是高高扬起他的巴掌，低头瞪着我，做出要掌掴的姿势，刹那间蒲扇式的手掌扇下来，结果只是和自己的另一只手掌拍击，在我耳边制造出巨大的声响来。我吓得一抖，我爸大笑不已。

这个拙劣的把戏一直贯穿我的婴儿和幼儿阶段，然而我却从未真正意义上破解和免疫。每当高高的巴掌的阴影落在我身上，我还是会瑟缩，还是会发抖。这种恐惧建立在不确定性上——不知道什么时候父亲的大赦会失效。

以前，我只是把我爸这种恐怖的恶作剧，慈爱地体谅成情商不高和缺乏技巧。后来，我却在很多父亲身上看到了这种惊人的相似。

我曾目睹过一个父亲对儿子的惩罚。父亲怒气冲冲地从衣柜中拿出好几条皮带来，放在椅背上，作为刑具让孩子挑选，然而他最后却没有真正施暴。用卡夫卡的话说，他"只是想让孩子亲眼目睹被绞死的所有准备工作——等到绳索、大刀、砧板全部各就各位了，才宣告大赦"。

此时，父亲的潜台词已经呼之欲出了：他要让孩子知道自己是被幸免的，是被恩赦的，你的生命是父亲功德无量的馈赠，所以你应该时刻保持兢兢业业的负疚与自责。

对于母亲来说，我们是她卵巢里无中生有的馈赠。对于父亲来说，我们是他用 0.00000007 卡路里毫不费力漫不经心地制造出来的，长达 1/25 毫米的，他精虫王国里面的幸运的小玩意儿。

父亲是没有职业道德的上帝

很早很早以前，心理学还没发明出来的时候，人们就发现儿子身上会有一种仇父恋母的心理倾向，也就是有名的"俄狄浦斯情结"。后来，当心理学被发明出来，这种普遍蔓延的仇恨才有了靠谱的心理学解释。

我们仇恨的并不是父亲，而是"生活代表"。

生活永远是大 BOSS，对人提出种种可恶的限制和强迫。在一个家庭内部的父母双方之间，父亲就是"生活"的化身——要求着孩子，所以父亲永远是孩子的敌人，而孩子永远要哭着找妈妈。

这种心理学的说辞，我反倒觉得太抽象和文艺腔。"生活代表"的化身无处不在。对孩子来说，四面墙壁永远太逼仄，桌子的棱角永远太坚硬，放糖的柜子永远太高。滋事找茬的倒不总是父亲。

我想，我更喜欢卡夫卡对父亲所下的断语：父亲即上帝，"剥去了圣衣的上帝"。

人类对上帝形象的想象和勾画，就来源于对父亲的记忆。

这个兼职上帝却是毫无职业道德的。他享受特权，却消极怠工；他索取崇拜，却不普渡不慰藉。他只是执行上帝"审判"的职责。

在卡夫卡的小说《判决》中，年轻商人格奥尔格·本德曼生意做得很好，想脱离父亲而尽早独立。结果父亲不仅暗地里摸清了儿子的所有客户联络网，而且怀疑儿子想罢黜自己在经济上的统治权，起了叛心，嫌自己老不死。

于是父亲对儿子做了如下的判决——"你原本是一个天真的小孩，但你原本又是一个魔鬼似的人物！我现在就判决你的死刑，判决你从此消失。"

于是，儿子跌跌撞撞地从房间里被撵走，"他从大门外一跳，越过车道直奔大河，作为一个优秀的体操运动员，他一跃而上，如同一个乞丐一样牢牢地抓住了桥上的栏杆。他本来就是优秀体操运动员，这在他年青时代就曾经是他父母的骄傲。他吊在栏杆上，手变得越来越软弱无力，但他仍然坚持着，在大桥的栏杆柱子之间，他看到一辆汽车轻松地驶过，汽车的喧嚣声可能要淹没他落水的悲壮之举。他轻声地叫道：'我的亲爱的爸爸妈妈，我可是一直爱着你们的啊！'然后落入水中。

在这一瞬间，来往的交通从未中断。"

我们不无惊诧又毫不意外地发现：几乎在卡夫卡所有的小说里，都是父亲——处置了那些角色……或者，我们该说，处决？

现在，让我们再来看看卡夫卡给父亲的那封信。写信的时候卡夫卡已经三十六岁，不再是那个孱弱局促得像个节肢动物的少年。他终于停止了令人尴尬的长高过程，稍稍长胖了一些，脸上基本褪去了少年时形销骨立的怪异奇突。这样一个身形巨大的大男人，在这封超级无敌长的家书里，诉尽了天下所有畏葸孩子巨大的委屈与抱怨。

更令人对卡夫卡揪心不已、激发母爱的是，他的这封信自始至终都没有勇气寄出过。但是卡夫卡自己模拟父亲，写了一封阅后回信。

有很多人解读这封家书，有人看出了心理病态过分敏感小题大做，有人看出了父权暴力不近人情强权政治。

而说实话，当这封信看到结尾，我只看到了两个字——缠绵。那是多么难以割舍、难以自欺的依恋，看得我几乎脸红心跳。

当卡夫卡模拟着父亲，对儿子的控诉进行种种辩解和回击。

与其说，这是身为儿子最终大度的释然和既往不咎，倒不如说是儿子对父亲缠绵而无法克制的告白。

由卡夫卡扮演的父亲是这样回应卡夫卡的指责的：

"我承认，我俩互相斗争着，不过斗争也分两种。一种是骑士的斗争，独立的双方在相互较量，各自为政，输得光明磊落，赢得正正当当。另一种是甲虫的斗争，甲虫不仅蜇刺，还吸血以维持生命。这是真正的职业斗士，而你就是这样的斗士。你缺乏生活能力；为了让自己过得舒舒服服、无忧无虑，而且不必自责，你就证明，是我夺走了你所有的生活能力并把它装进了我的口袋。你现在用不着为缺乏生活能力而发愁了，责任都在我，你尽可以心安理得地四仰八叉躺着，身体和精神上都让我拖着过日子……如果我没怎么看错，你写这封信也还是为了当我的寄生虫。"

卡夫卡把父亲拖进他所有的小说里，固定在一个巨大而可笑的模型里供人展示，供己发泄。然而，他所发泄的，仅仅是他在父亲怀里不能发泄的，这是有意拖延的与父亲的告别。

卡夫卡自己曾经对朋友说过："我想给自己全部作品题名为'逃出父亲的范围的愿望'。"

逃离暴戾的父亲，远离失德的上帝。你确定吗？

父亲的……纯洁的吻？

霍桑写过一个短篇小说，叫做《拉帕其尼的女儿》，这是个典型的聊斋式的故事，讲的是一个健康上进的大好青年——只是头脑略显简单，遇见半妖半鬼的美女，从而身心都被扯进一个热情狂乱的异次元空间的故事。

——奇怪的是，故事的最后，无辜又无能的男主角总能顺利从那个世界抽身而出，继续若无其事地生活，而法力高强的狐鬼自己却在那个空间里墙倾楫摧，魂飞魄灭。

小说的主角是个名叫乔万尼·古斯康提的青年。他异地求学，为了省钱住进一个古老阴森的大宅子，这个宅子有个美绝人寰的花园，每一寸的土地上都挤满了五花八门稀有的花药草木，尤其是一棵灌木，花朵长得像宝石一样璀璨，整棵树流光溢彩。

种花科学家园丁叫做拉帕其尼，他和其他的园丁不一样，他虽然对这些花草的生命了如指掌，却不与它们亲近，甚至小心翼翼地避免吸入花香。他那副神气，就像个走在邪恶势力之中的人，四周全是猛兽鬼怪，稍不留心，就会死于非命似的。

这个园丁满怀戒心、如临大敌地打理他的花园，然而还是觉得太危险，就用恐惧发颤的声音呼唤着他的女儿："比阿特丽丝！"他的女儿美得容不得分毫增减，青春妙龄，神采飞扬，任处女的腰带将这一切紧紧束绑。她一边朗诵着大抒情的赞美诗，一边用夸张的柔情动作在金黄的夕阳下打理着植物。

这幅看起来做作到好笑的画面，毫无悬念地强烈震撼了我们的主人公。而当他终于与自己魂牵梦绕的妙人儿并肩而行，赫然发现自己像面对一个稚气十足的孩子，比阿特丽丝像是与文明世界隔绝的孤岛上的旅人，对时尚的生活方式充满了好奇。

幼稚无知是所有美女致命的吸引力。少男少女越走越近，但他们不曾相吻，不曾相握，没有丝毫爱情渴望与尊崇的爱抚。他从未触摸过她光亮的鬈发；她的衣裙——这阻挡二人身体接触的明显障碍——也从未被清风吹起，拂扫他的身体。偶尔，乔万尼顶不住诱惑，试图闯越界限，比阿特丽丝就变得十分悲伤，十分严峻，满面凄凉疏远，无须只言片语就使乔万尼不寒而栗。

后来，谜底终于揭开。园丁拉帕其尼之所以害怕他自己种下的那些美轮美奂的植物，是因为那些植物全都有剧毒。而他的女儿，妙人儿比阿特丽丝则是"毒贯满盈"的、真正的大毒物。打出生起就用毒药喂大，直到毒素浸透全身，她呼出的浓香污染了空气。她的爱情是毒药——她的拥抱意味着死亡。

乔万尼也难以避免地沾染上了他的剧毒，当他朝飞虫们喷出一口气，那些小虫会纷纷坠地身亡——而且显然不是因为口臭。大好青年的洁身自好的道德观受到了强烈玷污，他愤怒不已，却还是决定高尚地谅解。于是带着一瓶偶尔得到的解毒剂去找比阿特丽丝，想和她一起喝下，洗净两人的邪恶。

这时苍白的科学家父亲出现了，他还不知道女儿已经喝了解药，背叛了自己。他得意地看着他们像艺术家奉献毕生，终于完成了一幅大作或一组雕像，对成功心满意足。然后快乐地对他们祝福道：

"我的女儿，你在世上不会孤单了……你的新郎现在已与普通男人不同，正像你，我最得意最出色的女儿，与普通女人不同一样。从今往后，你们相亲相爱……走遍天下，让别人去害怕吧！"

"走遍天下，让别人害怕去吧？！"这个相当慈祥又实用的婚姻寄语女儿却无福消受，她的机体已被拉帕其尼超凡的技术彻底改变。毒药就是生命，所以烈性解毒药就是死亡。

一番对父亲指责式的告别之后，这个少女倒在父亲和乔万尼——两个深爱她的谋杀者脚下。

这看似是个平凡的、闭门造车的残忍故事，把古代聊斋志异、现代科学怪人、未来怪诞科幻结合在一起，提出了一个并不新鲜的命题——人性是个好东东，要是抛弃了，嗯……那可不太好呢。

但是这篇小说无意中提供了一个有趣的联系：美丽的女儿和有毒的植物。

这两者有一个共同点：它们对父亲来说都是永远负担不起的、华丽又危险的奢侈品。父亲只能站得远远的，含着涩涩的笑远观，而害怕自己的神情里流露出少许的放纵。顶多只能用戴着手套的手小心而压抑地抚摸一下下，却不能放胆欣赏，不能久久亲近。

在法国小说《香水》里，作者曾经用令人发指、令人战栗的敏感和细腻，详细地描述了一个父亲，在早上走进女儿的卧室，呼唤她起床时候的心理活动：

"里希斯在看自己女儿时，也被吸引住了，以致他也会在无一定的时间里，一刻钟或者半小时，忘记了世界，也忘记了自己的事业——而这些他即使在睡觉时也不会发生呀！——注意力完全集中于观看这美丽的少女，而且说不出自己究竟做了什么。最近——他很不愉快地觉察到这点——晚上他送她上床，或是有时早晨他去喊醒她时，她还像躺在上帝的手中一样睡着，她的臀部和乳房的形态都透过薄薄的睡衣显示出来，他望着她那胸脯、肩膀曲线、肘部以及枕在脸部下面的光滑的前臂，她那平静地呼出来的升起的热气——这时他的胃就绞痛得难受，喉咙也缩紧了，他在吞咽着，天晓得，他在诅咒自己，诅咒他是这女人的父亲，而不是一个陌生人，不是随便哪个男人。她可以像现在在他面前一样在这男人面前睡觉，而他可以毫无顾忌地躺在她身边、她身上、她怀里纵情欢乐。他抑制住心中这可怕的欲火，朝她偏下身子，用纯洁的父亲的吻唤醒她；每当这时，他身上便冒出了冷汗，四肢在颤抖。"

　　这个父亲是个超级大恶魔吗？这个父亲心理变态十恶不赦吗？这样的啐骂我只觉得伪君子。按照社会和道德的要求，父亲必须爱女儿，但是必须爱得纯洁，爱得高尚，爱得抽象。这个要求其实不合理，这又不是淘米，把不纯洁的、关乎欲望的小念头们，用指头尖一一拈出来，最后只剩下不掺杂质的一群形而上的爱。

　　这个行为，比拉帕其尼还要不人性。男性的爱本来就兼具对自己强大的餍足，对对方柔脆的俯视。这爱情的元素和成分，和父爱本来就有99%的相似之处，强行把两者分开，摆在相隔甚远的情感格架中，未免做作地得让人啼笑皆非。

　　就连托尔斯泰，也对女儿有着隐秘的情感。当他的女儿们还没有出嫁时，只要有人向她们献殷勤，父亲就非常痛苦。除了要听从他的意愿之外，他还经常嫉妒地监视她们的一举一动，察言观色，偷看她们的情书。有时他很难保持对年轻小伙子的应有礼貌，有时则显得过分殷勤，似乎要以此不让小伙子接近他的女儿。

托尔斯泰晚年自视为上帝，对自己有着神一般的精神要求，一生中最害怕的就是各种"不纯洁"的欲望与情感，而他都难以欺骗自己对女儿复杂的感情。

女儿是父亲创造的。女儿是父亲养殖的。女儿是父亲的所有物。

女儿的拥有权属于父亲，父亲却永远不能拥有。

大家都指责拉帕其尼把女儿当成有毒的植物。然而，我们能不能换一种理解，拉帕其尼其实是把所有的有毒的植物当成女儿。

他种植了满园美丽的致命，令世界上所有人都无法接近，只要是接近就会粉身碎骨——一如父亲接近女儿的结局。

这是不是拉帕其尼，对身为父亲注定的原罪带着冷笑的报复呢？

哦，莫莫瓦拉！莫莫瓦拉！

我所知道的关于父女最悲伤的故事，是这样的：

莫莫瓦拉同女儿去菜园，他把女儿放到树上，以便他能够仰视她的生殖器，并发出长时间的 katugogova 的声音。那是一种高音调的声音，而这种高调的声音被嘴巴和手的快速敲击所打断，这种尖声通常表示受到强烈刺激的快感。他的女儿问他：为什么这样痛苦地尖叫？他回答道：我看到了一辆绿车。这种事情连续地重复发生着，而且他还多次谈到一只鸟。当他的女儿从树上下来的时候，他的阴茎已经勃起，他终于脱去了女儿的遮羞草裙。

他的女儿十分惊慌地哭起来。可是他抓住她，反复地拼命交媾，一切结束之后，他的女儿唱起小调："哦，莫莫瓦拉！莫莫瓦拉！我的肉是你的肉，父亲啊，我的父亲。你的名字是我的父亲。他抓住我，他强迫我，他玷污了我。"她的母亲听到她唱的小调，并猜中发生了什么事情。"他已经得到了这个女儿，并已经交媾了，我要去看一看。"

女孩的母亲遇到了他们，这个女孩诉说着，而她的父亲则矢口否认。这个女孩带着她所有的杂物去了海滨。她唱着歌引来了一条鲨鱼。那条鲨鱼先吃掉了她制作草裙的木板，又吃掉了她的篮子，然后是她的一只胳膊，接着是另一只胳膊，鲨鱼一点点地吃着。那个女孩重复地唱着那支小调，最后她唱道："把我全部吃掉吧。"鲨鱼最终也就这样做了。

在家里，莫莫瓦拉向妻子询问女儿哪里去了，他听说她已经悲惨地死去之后，反应却是要求他的妻子脱去草裙，他要同她交欢。这个故事描述了他性交时的摆动，而这种运动如此强烈以至于他的妻子不断抱怨：yakay，这是一种精神上痛苦的表达。但是，他的阴茎却越进越深，她再次无望地尖叫着。事后，她就死去了。

第二天，人们在庭院中询问他发生了什么事，他说他的妻子被矛刺死了。"刺在哪里了？""矛刺入了她的阴道。"然后莫莫瓦拉割断了他自己的阴茎，也死去了。

这个故事出自一本叫做《野蛮人的性生活》的书。这本书是由著名人类学家马林诺夫斯基撰写的，是有关南太平洋特罗布里恩德岛居民性文化的专著。

"莫莫瓦拉"也是岛上口耳相传的一个故事，是否是真人真事改编，还有待考证。

而就算这个故事是真实发生过的，人们也可以在胆战心惊之后，抚胸自慰道："这到底还是未开化的野人世界发生的故事。"

文明和野蛮的差距其实并没有那么大。莫莫瓦拉的确只偶尔在报纸社会新闻的角落出现，禽兽般的父亲还是走向灭亡的物种，就算没有灭种，也是属于应当被集中销毁的族群。然而，女儿们对父亲的恐惧却从未消失过。

当父亲用压制而灼灼的目光，看着女儿的后背。女孩，我敢说所有的女孩，都能在一瞬间察觉。大脑的情绪合成车间里，立刻合成出恐惧、愤怒、羞耻、鄙夷、仇恨种种复杂的情感。

这种纠杂的、不足为外人道的苦涩情感，大多数都被长大了的小女孩们淡忘了，因为当伦理这件事被植入大脑，女孩们首先自责自愧的就是对父亲的揣度与诽谤，自己先在内心否定和勾销了一番，认为毫无依据，对父亲撤了诉。

然而，却不能对自己的感官撒谎。

即使是在没有淡忘的时候，我们也说不出对父亲的这种无端恐惧来。若是要反复逼问，小女孩只能没头没脑地说："爸爸凶。"

萧红一生都仇恨自己的父亲，从未撤销过对父亲的控诉。

在自传里，她是这样回忆的："九岁时，母亲死去。父亲也就更变了样，偶然打碎了一只杯子，他就要骂到使人发抖的程度。后来就连父亲的眼睛也转了弯，每从他的身边经过，我就像自己的身上生了针刺一样；他斜视着你，他那高傲的眼光从鼻梁经过嘴角而后往下流着。

父亲打了我，我就躲到祖父那里。祖父告诉我：'快快长吧，长大就好了。'二十岁那年，我就逃出了父亲的家庭。'长大'是'长大'了，而没有'好'。"

"父亲在我眼里变成一只没有一点热气的鱼类，或者别的不具着情感的动物。"

父亲的可怕可憎之处，恐怕不只是因为打碎了杯子就要骂，做错了事就要打吧。萧红对父亲，多少是有些性的恐怖。

父亲最令人吓得发抖的，并不是脏话和巴掌，而是他流动的目光。

我小时候也害怕和父亲独处，那时我只有八九岁，也不明白那种如坐针毡的来由。当有外人在时，我正常撒娇，有时也会不得体地放肆，表演一个普通的娇气女儿，表演得栩栩如生。

然而，每当我妈出去买菜，我和我爸独处，我们俩并排坐在沙发上看电视里的新闻，或者连续剧的时候，我总是正襟危坐，危矜而严肃，手规矩地摆在膝盖上，直挺僵硬得像古装剧里的小学童。我是紧张的，而这种紧张里多少有点模糊的警惕的意味。

我目光只敢低垂，有时就盯着我爸的袜子。深蓝色的丝袜，看得出里面崎岖骨凸的巨大脚来，脚底板有层薄薄的微酸的潮湿，我心生冰冷的寒意。我对这袜子和脚印象极深，它是我记忆里隐藏得很深的莫名的惊惶。

还有一件事我印象很深。那是我十岁左右的事情，我刚刚开始发育，我妈对此咋咋呼呼得令我羞愧万分，又骚动万分。

有一天，我想要照照自己。我们家没有落地镜，唯一一个反射面积比较大的镜子就是厕所的洗脸池上面那一块。我那时候还很矮，踮起脚来也只能看到自己鼻梁到头顶的部分，这块镜子一直令我恼怒。

我专门从厨房搬了一个高脚凳，鬼鬼祟祟地关上门，颤颤巍巍地站到了高高的凳子上，对着镜子，我把自己脱了个精光。镜子里映射的部分，是个苍黄粗糙无头女体。这副躯体，同街上随意散落的劳动人民——三轮车夫、板车工、施工者——的裸露并没有什么区别：肤色严重不均匀，结实得令人纳闷，乳房是平坦的，内脏在身体里显得太拥挤，使得胃和肚子凸起了一块。

罗衫褪尽，裸体千呼万唤始出来，结果看起来一点娇嫩的影子都没有，赫然是一副历经风吹雨打的样子，顶多让观众讪讪一句"劳动最光荣，劳动者最美"，而毫无纯真的诱惑，更谈不上什么性感的魅力，

我对镜子里的裸体抽搐眼角，挤出一个窘迫的鼓励的微笑。

这时候，我爸不小心推门而入，大喝一声："你在干什么？！"

吓得我几乎从椅子上跌下来，跌入便池，成为历史上死因最丢脸、死处最丢脸、死法最丢脸、死相也最丢脸的第一人。

我爸愤怒地把门摔上。我吓得魂飞魄散，羞愤过后是巨大的愤怒和仇恨，对父亲的。

我做错了事，但我爸是应该被责备的那个。这不是思想品德书上教的是非判断，这是原始两性间的性的判决。

这件事到现在，只留下一股淡淡的置之一笑的尴尬。我爸估

计都不记得这件事了。它不足以构成童年阴影，但足以使我相信书本里只谈"亲情"的父女关系，隐藏了太多。

父亲的裸体

我想，说了这么多，我终于有勇气说出我最想说的话：

爸们，生孩子，你们的确天赋异禀，奇迹般的精子储备和发射功能有如天赐；养孩子，真的脱离了你们的能力范围。

有个例子很能说明问题：世界上结婚次数最多的男人叫做格林·马尔夫。当他八十八岁死于加利福尼亚的雷德兰斯时，他的二十九个妻子中没有人愿意来认领他的尸体，尽管他有十九个孩子、四十个孙子和十九个曾孙。但仍然用了两周时间，他的第十四任妻子所生的一个儿子才出现并埋葬了他。

如果如我前文所说，那么，对于儿子，父亲是审判的伪上帝；对女儿，父亲是性恐怖和性紧张的来源。父亲别说是失败的养育者了，简直是家中最大的恐怖分子！

或许让父亲稍微找回点尊严的是：有威胁永远是因为强大和不可战胜。

当父亲老去的那一天，他的强大崩塌，他的威胁也将解除。

在台湾作家张大春的《聆听父亲》里，他讲了一段他为父亲洗澡的故事。张大春第一次见到父亲的身体是在球场的浴室里，"那是一具你知道再怎么你也比不上的身体。大，什么都大的一个身体。吧嗒吧嗒打肥皂，哗啦啦冲水，呼啊呼啊呿喝着的身体。"——卡夫卡也写过，当他小时候和父亲一起洗澡，他自惭形秽地不敢走出浴室。

张大春再给父亲洗澡，已经是父亲意外摔倒，脊椎神经受伤之后，那时父亲只能躺在病床，"连洗个澡都要求人"。

"当我用蓬蓬头冲击他那发出阵阵酸气的身体，他总是说：'老天爷罚我。'

'老天爷为什么罚你？'

'它就是罚我。'

在那一课，一个句子朝我冲撞过来：'这老人垮了。'

我继续拿着蓬蓬头冲洗他身体的各个部位，几乎全秃的顶门，多褶皱且布满寿斑的脖颈和脸颊、长了颗腺瘤的肩膀、松疲软垂的胸部和腹部、残留着枣红色神经性疱疹斑痕的背脊。我伸手搓搓他的屁眼，又俯身向前托起他的睾丸和鸡鸡——那就是我当初的源起之地，起码有一半的我是从那么狭小又局促的所在冒出来的。我轻轻揉了揉它们。显然，它们也早就垮了。"

上文让我感同身受，不过，我当然不是对着父亲的鸡鸡长吁短叹。去年，我爸送我来北京上大学，我发现我们的交谈时时都有冷场的危险。

我问他："北京怎么样？"

我爸说："北京好大哇。"

我又问："学校怎么样？"

我爸说："大学好大哇。"

"好大"，成为爸爸对一切他所不熟悉的事情的形容词。在谈话无法继续的冷场中，我又惊又急地意识到：外物都大了，父亲自然就小了。母亲是一寸寸变老的，父亲是瞬间变老的。我们斗争了整个童年的敌人，自己缴了械。

孩子的生命被父亲惩罚，父亲的生命被岁月惩罚。都是输家，那就干脆惺惺相惜，一笑泯恩仇吧。

第二章

我活在一个我不可能成为好孩子的
世界里，而我也比我想象的更坏

一　保姆

——得奶者得天下？

奶妈的奶

三国时有个大官叫贾充，他的老婆姓郭。老婆生了个孩子，贾充给孩子找了个奶妈。

有一天，贾充从外面回来，一岁多的孩子在奶妈怀里被抱着。看见爸爸，他高兴地手舞足蹈，贾充也很高兴，弯腰逗他。郭氏回到家，看到贾充整个人凑近奶妈袒露着的光洁乳房，且不断发出夸张怪声的景象。郭氏很生气，就把奶妈给杀了。

奶妈被杀掉之后，贾充的儿子难过极了，哭了很久，再也不吃别人的奶，结果活活给饿死了。

如果把这件事登在当时的《三国都市报》上，恐怕会起个这样的标题："由奶妈的奶引发的连环命案"。

奶妈的奶子真是世界上最可怜的奶子，他们从来都没有得到过片刻的宁静而常年吊在外面，裸露于公众的视野之下。所有逗弄孩子的大人，都无可避免地连奶妈的奶子一起调戏——奶妈的乳房在晚年，就算不被人杀死，恐怕也会羞辱地自缢而死吧。

奶妈的奶很神奇。贾充儿子之死，让所有人都有了同样充满怀疑的诧异——乳汁而已，真的美味至此？

事实上，古代奶娘的乳汁的确千挑万选。

在《育婴家秘》里，公布了对乳母的要求和标准："选乳母，一定要选肌肉丰肥、性格和平的，因为她们的乳汁浓厚、甘美、莹白、温和，对孩子有好处。如果病寒的，她们的乳汁也寒。病热的，她们的乳汁也热。病疮的，她们的乳汁有毒诶。爱吃东西的，她们的乳汁味道不纯。有点小淫荡的，她们的气味不清净。对孩子有什么好的呢？所以一定要把孩子抱得远远的。"

另外，喂奶时，奶妈也有很多禁忌和规范：比如说，伙食里不准有韭、蒜、辣椒等食物，更不许吃烧酒。没有奶的时候不能硬挤出奶来喂，那时的奶太勉强太不情不愿；有了喷薄欲出的奶也不能喂，因为蓄了很长时间的奶比较脏，而且容易喷溅伤孩儿……

《宝鉴》和《千金翼方》里规定，奶妈不能在开心的时候喂奶——"令儿癫狂生惊"；不能在生气的时候喂奶——"令儿面黄啼哭"；不能在妊娠的时候喂奶——"令儿脏冷腹泻"；不能在大劳之后喂奶——奶的攻击性和侵略性太强，"令儿成疳"。奶妈嘿咻之后喂奶……哼！奶妈难道还能嘿咻？！

这样挑选出来的奶的确质量过硬，奶妈袒露出的乳房上简直可以贴上质量认证书——"我们精选优质乳源、高品质、安全、易吸收，引进国际流行的最新低温生物技术进行超滤浓缩、脱脂纯化，除去腥味和不利于儿童及体弱者吸收的酪蛋白……我们值得信赖！"

然而令人意外的是，尽管对乳母奶的素质提出了这样的高标准严要求，但是，古代却很少有书提到对乳母品行的要求。

只有《礼记·内则》里稍微提了一句，"必求其宽裕、慈惠、温良、恭敬、慎而寡言者，使为子师，其次为慈母，其次为保姆。"

换言之，保姆不需要具备什么人性，只需要具备动物般的沉默，以及机器般的高效率就足够了。对奶妈，除了要求奶的好味，就没有其他的职业规范了。

几千年来的早期教育历史，事无巨细，浩浩汤汤，天罗地网，添加了无数限制与要求，仿佛冥冥中有个巨人，以恐怖的麻木敬业地重复着在童年的班房里焊上一条条的钢铁焊条，然而，却在"保姆"这口儿上奇异地放松了警惕，大手一挥，让行行列列众多奶娘，低着头沉默地顺利通过。

现在一看，对奶娘轻敌，后果其实很惨烈。

尝尝奶娘的厉害

在中国历史上有个时期，奶娘们盛妆华服，站在政治舞台的中央聚光区，而不仅仅是两只勤奋袒露的奶子，作为布景的存在。

那是明代。皇家选奶，路人皆知，宛平大兴两个县年纪在十五到二十岁，形容端正，第三胎生子仅满三个月的有夫之妇，全部在候选人的行列中。每个季度要选奶口四十名，叫做坐季奶口，蓄养在奶子府（现在叫做乃兹府，by the way）里，随时等候召唤。

宫廷里孩子顺利降生之后，就在奶子府里进行会选，选出几个奶口进行试哺，比较之下，看孩子更喜欢哪个奶口，留下一个孩子最爱不释口的，其他的遣送回去。最佳奶口留下，一辈子不得出宫。

问题就在于，皇子不止是对一双好乳房一见如故，惺惺相惜。

明朝出现过两个迷恋上自己的"官方食材"的皇帝。

一个是明宪宗，他的乳娘叫做万贞儿，四岁就进宫当了宫女，宪宗出生之后就成了宪宗的贴身奶娘。问题是她贴得实在也太久一点了吧，宪宗十六岁即位的时候，她已经三十五岁了，老来升职，直接从奶妈升职成了贵妃。

万贵妃是那种无私地把生命奉献给后宫角斗、一生勤勤恳恳无恶不作的女人。凡是宫廷戏里坏女人做过的事情她一样都没落下，颠倒黑白啦，恶人先告状撒娇啦，打压皇后啦，毒死嫔妃啦，杀宫女啦，强制别人堕掉龙种啦——阴险到无聊。

万贵妃五十八岁的时候终于死掉了，明宪宗刹那间无限哀伤决断地说：

"万贵妃死了，我也活不长了。"

果然，一年之后，他因为思念过度而追随他的保姆死去。

这样看来，他其实和本章开头那个因乳汁饥饿症死掉的一岁小孩儿并没有什么不同。

这种恋乳母情结，作为家族病史还有遗传性。明熹宗朱由校对自己的乳母客氏，也有让人背地八卦不已的异常眷恋。

十八岁的客氏，的确是经过奶子府的层层选拔，凭实力正规上岗的。明熹宗十六岁一即位，就把客氏封为"奉圣夫人"。《明史纪事本末》里记叙了客氏的排场：

她回家的时候，有十几个太监跟着她。侍从的盛大，比皇帝还过分，灯炬簇拥，好像白天一样。客氏盛装打扮得像个仙女一样，乘着小车晃晃摇摇地由嘉德门经过月华门，到了乾清宫前面也不从车上下来。客氏回到家之后，就在家里搞一个小型的奶妈上朝仪式，管家女仆像文武百官一样，依次叩头，"老祖太太千岁"的呼喊声大震天。

客氏能如此作威作福，不仅是凭借着明熹宗对她的深情眷恋与放纵，还有一个原因，那就是明熹宗从小到大，在她的悉心照料与培养下，情商和智力一直稳定地保持在八岁的水准。

明熹宗是个文盲，不认识什么字，写个诏书都有困难。他的兴趣是做木匠活，对此燃烧着学龄前男童一样旺盛而单纯的好奇心。

史书上记载，他用一年多的时间，几乎不眠不休地制造出一张木床——锯木钉板上漆都亲力亲为，这张床的床板可以折叠，携带和移动都很方便，床架上还有精美的花纹，连当时的木匠见了都叹为观止。

明熹宗还善于用木材做小玩具，他做的小木人，无论男女老少都精致生动，憨态可掬。熹宗还派太监拿到市场上去出售，市人疯抢不已，常常脱销。明熹宗看到市场反馈兴高采烈，做得更带劲了。

不管当了多少年的一国之君，他始终是得意地跑到奶妈面前，得瑟地邀功的"聪明的小宝贝"和"能干的小乖乖"。

历史上记载客氏和太监魏忠贤有一腿。魏忠贤是明熹宗最崇拜的玩伴，明熹宗被他最喜欢的两个"大人"劈了腿。

然而，晚明的李逊之的《三朝野记》里记叙说："皇帝驾崩的时候（明熹宗是和魏忠贤划船的时候翻船，着凉而死的，我简直能想象皇帝在船上多动症发作活蹦乱跳的样子），客氏于五更，穿着丧服，赴梓宫前，拿出一个小包，用黄色的龙袱包裹，里面全是先帝的胎发痘痂，以及落齿指甲等，焚化痛哭而去。"

我不知道这是有据可考的史实，还是作者自己的艺术发挥。如果是作者创作，那我简直要对作者挖掘人性的功力以及编织情节的能力，致以由衷的佩服。

这个细节让我几乎怀疑客氏的绯闻——她的确对皇帝有刻骨铭心的真情，他们之间的确有着某种惊天动地，不足为外人道，更不足为外人质疑的情感。而这个场景也有种让人动容的震撼力量，即使是以有点变态的方式。

明熹宗死后，继任的明思宗去抄客氏的家，发现她家里有八个怀孕的宫女。因为熹宗已经达到了"贪玩"战胜"性欲"的臻境，客氏比谁都清楚，皇帝到死可能都没有孩子，于是就令宫女和外面的野男人苟合怀孕后，伺机冒充是熹宗的骨肉。

明思宗知道之后很生气，把客氏捉到浣衣局活活打死，家属也全部处以斩刑。后来更规定凡宫中的奶妈，到了皇子七岁的时候，一律放出宫。

思宗啊，让我们说实话，您不觉得现在才做这个规定，迟钝得有点过分了吗？

儿童床里的绮丽

没有人预料到孩子和保姆之间会产生感情。在古代的教育专家、社会学家、人类学家眼里，奶娘和客户的关系止于简单供给，一个硬挤，一个狂吸，仅此而已。乳娘只是产奶机器，人和机器产生爱情？靠！这他妈的也太科幻了吧！

直到多年之后，一些史学家发现皇帝们对奶娘的一往情深到了能乱国误世的地步，才迟迟疑疑地提议这个问题可以探究，探究之后，才迟迟疑疑猜测和暗示："也许，皇帝和奶娘们，有过一些……嗯，该怎么说……咳咳，早期的，性接触？"

早期性接触？开玩笑，在我淫秽的小脑袋瓜里，一开始就认定，"奶娘"只是"性启蒙者"冠冕堂皇的代名词。而且，我还以为这也是成人世界暧昧不语的默契呢。

年轻而丰腴的奶妈，早早地被迫拽离丈夫、爱情、情欲、亲情……总之，是一切能分泌出那件叫快乐的疯狂小东西、供养人类赖以为生的情感。她们不再能体会什么正常成年女子的幸福，而被迫与一个圆脑圆趾不知西东的婴儿囚禁在一起。当儿童床的四周，那印着小动物和卡通人物的床帘蓦然拉上——社会与世俗、岁月与年龄全部被隔绝在外，只有一个昏暗鲜艳、神秘而超现实的"儿童世界"。无论如何……无论如何，都会有些虚实不辨的绮丽吧。即使保姆为人正派，内心纯粹澄清，日久天长的相濡以沫，情感的成分到底还是会变成说不清也道不明的。

西汉武帝的奶妈，在宫外作了犯法的事，汉武帝本来打算依法治国、从严处置的。这时，奶妈向著名的、拥有一望无际的小聪明的东方朔求助，东方朔说："好办好办，当皇帝宣判、下令法办的时候，你不要说话，只要在临走的时候，再三地停住脚步，回头看看皇帝就行了。"

当天，奶妈按照东方朔的话做了，一步三回头。这时，站在武帝身边的东方朔训斥道："你还看什么？现在皇帝还要吃你的奶吗？"

汉武帝掉进陷阱，瞬间陷入了沉思和回忆中，良久之后，才如梦似幻地恍惚醒来，下令赦免了奶妈的罪。

我好奇的是汉武帝小脑袋瓜里的内容，恐怕一定不只是对奶妈乳汁新鲜程度的质量好评吧。

世界历史上最有名、最有魅力的花花公子叫做卡萨诺瓦。他肌肉发达如罗马的角斗者，古铜皮肤像吉卜赛的少年，冲击力和放肆如雇佣兵队长，性欲冲动如蓬头乱发的森林之神。

他的身体（当我说身体的时候，我其实指的是生殖器），从来没有疲惫过，一种从未中断过的性欲反而清醒地在暗中等待着一切女性。

他的身体不断地需要一个柔软的满足他肉欲的皮褥子，不能一刻没有女人。

在他的生命中，到底是谁，在什么时候打开了这性欲的闸门的？就是他的小保姆，那是一个叫做贝蒂娜的十四岁姑娘。

男童时期的卡萨诺瓦，对贝蒂娜来说，就是一个肉乎而温暖的大玩具。少女悉心地照顾着他的起居，每天帮他梳头，为他洗脸洗脖子洗胸脯。

贝蒂娜尤其喜欢轻轻一寸寸抚摸着她的"小宝贝"。这抚摸里不仅有单纯的顽皮和逗弄，恐怕还有对卡萨诺瓦的情欲恶作剧式的探索，以及对自己成长中的女性魅力，索要虚荣的证明。

一天又一天，一夜又一夜，卡萨诺瓦一次次地被莫名的快感冲刷，如此强烈的情感总是在最匪夷所思的位置戛然而止，他停留在狂乱的顶端无知而无助，从懵然无措到渐渐明了情欲的来源。在这过程中，他渐渐长大。我们都是这样长大的。

第一个引我为同类的人

卡萨诺瓦的故事让我想到了自己的保姆。

不不不，我不是对小时候某次情欲实验忽然恍然大悟。

我的保姆叫做梅子，是个农村姑娘。她在我记忆里的形象已经很模糊，依稀仿佛是个娇小壮实的姑娘，两边脸颊上各有一个大大的、浓烈的红圈，粗眉细眼，不是精明刮利的长相。

她开始照顾我的时候才十七岁，比我大十五岁。但是——我们的思维水平差不太多。

她刚刚接手我的时候，还颇有野心，觉得要把我培养成一个懂礼貌有文化，可以抱出去炫耀的小淑女才算有所交代。所以，即使爸妈只是要求她睡觉翻身时不会一把压死我，保持我活着的状态就可以了，梅子还是自告奋勇地对我实施了一系列失败的教育活动。

比如，当我的父母都在屋子的时候，她就开始教我背诗。她拿着一本拼音插图版的《唐诗三百首》，手指热切地在每行字符之间滑动，以初学者的认真念出声来。我心不在焉，偶尔敷衍地发出几个拟声词迎合一下。

有一天，她觉得我学得差不多，基本上可以出炉了，就组织了一场大型文艺汇报演出，莅临本次盛会的领导有：我爸，以及，我妈。表演的主要内容是诗歌朗诵。梅子声情并茂地朗诵："白日依山……"我说："尽！"

"黄河入海……"

"流！"

"欲穷千里……"

"目！"

"更上一层……"

"……嗯……"

这次事件对我倒没有什么打击——无知是我的显赫，是我皇帝的新衣，人人都看得见但没有人说，但是对梅子的打击很大，她无法成为我智力上的启蒙导师了。

其实，当"文化教育"这个可恶的包袱消失之后，我们俩反而如释重负地变得亲近了。我每晚和梅子一起睡。我的床突兀地放在客厅的一角，明显不在装修的原有规划里。床极小，我和梅子在黑暗中鼻息相抵，梅子的呼吸也很壮实沉重，从我的头顶呼啸而过，在隆隆的呼吸声中，我们絮絮叨叨总有说不完的话。

一个婴儿，同一个要求进步，要求世故、社交、爱情、时髦的农村少女能说什么？具体的话题我回忆不起来了，我只记得相当的热闹投机，也许是分享她对世故爱情的期待？也许是做保姆辛苦屈辱，也不是长久之计？在我们这样一个拮据的家庭，也不易居？从农村到城市过程艰辛，城市也没有预期中的光鲜，还对更时髦的生活有愈演愈烈的野心，然而时髦到底又是什么样子……

这些对话的碎片都是我日后一点点拾起的。我放学的路上，总能看到些家庭妇女拎着馒头、炒面，站在家属院的门口交谈，在赶回家做饭之前，偷得一些唏嘘和相互怜悯片刻。她们的只言片语，总能让我回忆起我和梅子在黑暗中的交谈。

我记得有很多次，我也像比较年长沧桑的那个家庭妇女，感同身受又居高临下地劝慰道："其实生活就那样……""知足吧，你好歹比我幸运……"

梅子离开我们家很多年之后，我妈才迟到很多年地又惊又疑："当年你和梅子怎么有那么多可以聊的？对了，你们那时是不是在说我的坏话？"我不说谎，这确实是当年的主要话题之一。

为什么我琐碎的"有保姆的日子"，会让我和卡萨诺瓦的保姆联系起来？卡萨诺瓦的保姆，通过荷尔蒙上的揠苗助长，帮助他迅速地成长；我的保姆，也通过对我社会情商的过分高估，让我的童年，有过一段疯狂的脱轨。

保姆，是第一个把孩子引为同类的人。

父母，把孩子手脚捆绑口耳蒙蔽，拘禁在畸形的婴儿天地里——"乖乖，你好好的不要动"；长辈，定期把孩子的脸颊用口水濡湿而已。

只有保姆，因为寂寞，会把她们的世界，分享给儿童床里唯一的观众。

梅子在的时候，我借用了她十七岁亢奋壮实的身体，走出两岁的短小四肢走不出的门，见识和体验我够不着的生活经历。

梅子走了之后，她帮我建立的那个俨然接近真实 size 的世界轰然消失，我又回到了那个甜蜜乏味的儿童天堂。

我的童年瞬间回到正常的轨道，不，甚至是倒退了。我又喃喃着大人听不懂的娃娃话，整个人摊化成一团可以忽略不计的孩子气。

寂寞芳心二人组

一块水边的大石条上，坐着一个五六岁的小孩，头上养着一圈罗汉发，身上穿了青粗布的棉袍子，在太阳里张着眼望江中间来往的帆樯。就在他的面前，有一位十五六岁像是人家侍婢模样的女子，跪在那里淘米洗菜。这相貌清瘦的孩子，既不下来和其他同字辈的小孩们去同玩，也不愿意说话似的只沉默地在看远处。

等那女子洗完菜后，站起来要走，她才笑着问了他一声说："你肚皮饿了没有？"

他凝视着远处默默地摇了摇头。倒是这女子，看得他有点可怜起来了，就走近去握着了他的小手，弯腰轻轻地向他耳边说："你惦记着你的娘么？她是明后天就快回来了！"

这小孩回转了头，仰起来向她露了一脸很悲凉很寂寞的苦笑。

——这是郁达夫对他和他的保姆的回忆。童年里来来往往的人很多，有些人的一瞬莫名其妙就成了永恒。在记忆的车水马龙中，这个孩子和少女的剪影，着实能称得上"动人"两个字的。

在爱情里寻寻觅觅的无言懂得、深刻默契，原来在五岁的时候，就曾拥有过。

郁达夫的保姆叫翠花，她嫁过，生过，养过，当了寡妇。郁达夫成年后，一次回家的时候看见她刚从乡下挑了一担老玉米之类的土特产来探望郁达夫的老母——

"和她已经有二十几年不见了，她突然看见了我，先笑了一阵，后来就哭了起来。我问她的儿子，就是我的外甥有没有和她一起进城来玩，她一边擦着眼泪，一边还向布裙袋里摸出了一个烤白芋来给我吃。我笑着接过来了，大家也都笑起来了，大约我在她的眼里，总还只是五六岁的一个孤独的孩子。"

保姆在我的床上的时候，我们两个在一起寂寞，当保姆离开，就剩下我一个寂寞了。

二 幼儿园

——我们被禁止的爱与怕

谁给我撒种子

活到现在，我只经历过一次明确而强烈的爱情。

所以，每当被人问起任何一点涉及爱情的话题，我总是兵荒马乱地把这段记忆从抽屉里拿出来，动情地向旁人展示这段年代久远、又臭又长、皱得像梅干菜、旧抹布一样的爱情。

而我失散已久的男朋友的名字，也被我肆无忌惮地反复提及，大多数情况下还是公开提及，俨然当他已经作古多年了。

事实上，我最早的，清晰的，而且现在还历历在目的记忆，就是我那小恋人的名字。

幼儿园的公共卫生间的墙壁上，挂着一长列的毛巾，每个人毛巾上方都有一个铁质小牌子，上面写着毛巾主人的名字。

我站在他的毛巾面前，凝视着他的名字，忍不住伸出手去摸他的名字，然后小步快跑到我自己的毛巾面前，用同一根指头抚摸自己的名字。这种八竿子打不着的亲密，让我起了极大的战栗，心脏表壁都起了一颗颗鸡皮疙瘩。我再去触碰他的名字，久久摩挲不能自已。这是我一生中最悱恻的片段，悱恻到哀切，红漆凸起的质感还保留在指尖，我随时可以唤醒。

我的这个梦中情人是个黑得表面发光的男孩子，额头很大，长得像年画里活了八百岁的彭祖。不过夸张的大额头下紧压着一副紧凑俊俏的眉眼，目光灵敏略显暴戾。这样精明和显眼的脸，让绝对外貌协会的幼儿园老师一眼看中，选为班长。

班长的职责就是不分场合的耍威风，服众不是手段而是目的——整个幼儿园的逻辑与伦理，就是这样简单地一如动物世界。而我，则不过是一个普通的雌性动物臣民，顺理成章地臣服于睾丸素冲脑的雄性首领。

我们每天中午都被安排趴在桌子午睡，规定姿势是把头埋在臂弯里。班长负责巡逻，检查是不是每个人都睡了，他尽忠职守，总是把人后脑勺的头发抓住掀起脑袋，然后掰开那人的眼皮看他是不是真的睡着了。对方眼皮稍有扇动，就是装睡，就要站起来罚站一中午。

每当他的脚步接近，我都心跳如雷，分不清是期待还是恐惧——是期待爱情还是恐惧惩罚，还是期待惩罚，恐惧爱情？

我在这种混合的刺激中欲生欲死，但他从未掀起过我的脑袋。后来我终于按捺不住，听到他脚步接近，就急不可耐地起身与他对视。

在我很多年对别人的讲述中，我总是说自己当时一脸淫笑，就像古装剧里的恶少。但如果诚实面对记忆，我会发现，自己其实当时洋溢着就义前的慷慨热情……以及兴奋——喘不过气的兴奋，对于将要到来的粗暴待遇。

下午照进幼儿园的阳光，像是话痨终于疲惫了的沉默，孩子的呼吸声又浅又沉，蝉声忽远忽近，在这琐碎的伴奏下，我们直视对方，紧张对峙，不知所终。

直到无恶不作的班长咕哝一声移开目光，转身极速离开。这不是关于爱情的神圣巷战，他是被我小小身体里勃发的过量雌性荷尔蒙吓得落荒而逃。

那天傍晚，我妈骑自行车接我回家。我站在自行车后座上，搂着我妈的脖子，附在她耳边说："妈妈，我知道我以后要谁帮我撒种子了。"

"撒种子"的典故源于我早期失败的性教育。我三四岁的时候，好奇孩子是怎么生出来的。大人告诉我，是男人从商店买了种子，然后用撮箕往妈妈的肚皮里撒。侥幸落入肚脐眼的那些，就发育成了孩子。

我妈问："你想让谁帮你撒种子啊？"

我脑海中有一幅画面渐渐清晰，我的班长穿着蓑衣和雨鞋，戴着宽檐草帽，打扮得像农民在播种时节准备下田，捧着一撮箕的种子，对我笑得鬼头鬼脑。

班长，我们回不去了

十几年后，那是最热的下午。

为了省钱，网吧没有开灯，也没有开空调。一个漆黑的干瘦少年平瘫在座椅上，他保持这个姿势已经超过四十小时了，然而不饿也不想吃饭，不困也不想睡觉，只是有些烦躁。他盲目疯狂地点击观看视频电视电影，又以更快的速度关上。屏幕上的人都笑着，却没有缝隙可以让他钻入，逃到一个小小的善意的世界。

他漫不经心地点击观看一个著名的访谈节目，主持人是个笑容可亲的瘦弱女人，嘉宾是个短发少女，穿一身浅浅淡淡的紫，表情和手势夸张地不知道在絮絮叨叨些什么。一时间也看不出来她是什么身份，反正不是明星。少年竟奇异地被吸引住了，决定看下去。

主持人笑道："大家都挺好奇你的感情状况。"

少女手舞足蹈地说："活到现在，我只经历过一段明确而强烈的爱情，那就是我幼儿园的班长。我至今还清楚地记得他的名字，他叫王烈……"

少年一下子挺直了身子，打破了已维持两天的静止状态——少年的名字也是王烈。

屏幕里的少女继续亦真亦假地笑道："王烈是我的第一个爱人，他让我绝望心死，到现在还没拾起拼凑出心里所有破掉的碎片。"

这话说得，还真是一点真诚也没有，少年却忘记去计较，因为他激动地发现少女说的"王烈"就是自己。他已经认出了这个少女——也许是她情绪亢奋不能自已时，五官牵动出了一些熟悉的蛛丝马迹。

这个女孩子是他幼儿园的同学，是他众多爱慕者中的一个，他都知道，他心里都有数。每当他微微扭头，以鹰的俯冲的目光左顾右盼时，总能抓到周围的女人——准确说起来是奇形怪状的女人，因为只有两种组成，五岁的女童和五十岁的已婚妇人——都贪恋地看着他的大额头。

在他所有的爱慕者里，他最不喜欢的就是眼前的这个少女，她对他的喜爱是如此汹涌，满头满脸地泼向他，躲闪不及简直具有破坏性。举个例子，幼儿园里每天都要睡觉，两人一床，头脚相对。每次他刚把枕头在床上放好，一个圆滚的身子就会立刻跃至翻滚到他身边，推之不得，踹之不去。

老师会检查大家睡着了没，他就只能闭着眼咬牙切齿地对那女孩持续呵斥道："你下去！你下去！你下去你下去！"

"我不下去我不下去！"

"你滚！今天该王美美跟我睡了！"

保守又谦虚地说，所有的女孩都想和他睡觉，从小班到大班，从几乎没有头发、性别都不辨的女婴，到长手长脚、扎马尾辫的轻熟女童，他无时无刻不收到焦灼的邀请："今天你能跟我睡吗？"

为了公平起见，他按"小红花光荣榜"的排名，精心安排了一张侍寝时间表，所有女生都领到了自己与他同床的日期编号，预约好了日子，公平又和谐，一个都不宠溺，一个都不薄幸。

这个女孩不守规矩擅自同床的行为，不仅让他尴尬，而且陷他于无德无义的境地。为了惩罚她，即使他们在同一张床上，体温相闻，他也背对着她，每当她向他稍稍蠕动，他就挪远一寸，体温降低一度，竭尽全力地以冷漠抵抗着。

王美美被抢劫了和他同床的机会，就只好睡在他隔壁的床上，身边睡着一个胖大不成器的男孩，没有一天不尿床。王美美睡在一片潮湿的臊气里，哀怨地隔着中间的栅栏望向他。班长和王美美，班里最娇美抢手的一对男女，身边都睡着无赖没出息的配偶——凭借暴力抢得同床的机会——只能隔着栅栏郁郁寡欢地相望，在每个老师好不容易放松警惕的片刻，把脸整个挤压在床的栅栏上，用尽力气探长手臂来，相握，互摸。而一听到老师的脚步声，就要立刻松手翻身，伪装出一个甜寐的微笑，假装和自己同床的官方伴侣睡得很满意。

现在想起来，史上那些最凄美最扼腕的浪漫，也不过是这个模式。什么灵与肉，理智与情感，人性与法制……他四五岁的时候，每天中午都会终极体验几遭。

少年回忆起十几年前的往事，有些唏嘘，有些得意，觉得自己有些老了。他拍拍坐在他身边的同学，招呼同学来看少女接受采访的视频，说：

"仔细看这段……信不信，她说的这个人是我。"

他的同学不情不愿地看了半天，看这个少女怎样用肉麻的感官词语形容幼儿园时的一段准爱情，觉得很没意思，也不太相信，不太相信身边这个窝囊的同学被人在电视上公开追忆，看了一会儿就骂了句单音节脏话当做结语，又扭头玩他的游戏去了。

少年没有取得信服，算了，不管他，反正他自己知道。他都知道，他心里都有数，他最辉煌的一段生活出现在幼儿园，在青春期无数窝囊委屈污秽愤怒的硬壳里，包裹着一段荣耀的，只有国王有资格拥有的记忆。

他十几年来从没有停过一刻钟的躁戾，在这一刻终于得到了宁静的安息。在网吧潮湿、刺鼻、几乎以固体的形态流淌的空气中，他仿佛回到了幼儿园的床上，被雌性呼吸时吐纳的清新包围着。

最让他惊奇的是，他一直以为幼稚无聊的幼儿园生活，竟然是他最成熟而敏感的时期，竟然储存着这么多充盈的回忆，俨然是缤纷的感官世界。

他的同学听到身边半天没有声响，好奇地瞥了一眼，惊奇地发现"班长"脸上流露出了一种稀奇的神气，那是一种雄性动物在交配之后特有的酣畅平静。

好几个小时之后，班长给电视上的这个少女写了一封深情却含蓄的电子邮件，回忆了一些幼儿园的往事，那些温情的东西，猪肉白菜包啊，不知道老师退休了没啊，他悲哀地发现由于他们地位悬殊得如同王子和村女，他们共有的记忆如此之少，他最后甚至恶毒地造谣王美美已经发福，希望以诋毁她的情敌来获得好感。

少女收到了信，在一堆琐碎的抒情中，她看到她的班长正在小心翼翼地拉扯她一起回躺到那张幼儿园的床上。少女冷笑着，不无幸灾乐祸地想：班长，我们回不去了。

堕落的乐园

我收到了我口口声声号称"朝思暮想"的班长的来信，没什么犹豫就删掉了。这不仅是基于我冷漠的本性，更是因为我不同意他把那里看做幼儿伊甸园（经过纯洁改良版的），在我眼里，这个伊甸园剩下的只有堕落的成分而已，并没有什么欢愉。

我假期回到老家，总是经过我待过三年的幼儿园。隔着栅栏，我看到园子里散落着的大玩具，搭了一半的积木，跷跷板，生了锈的小轿车，只有一半鼻子的木头马。上课时间，没有人，只有这些死气沉沉又五颜六色的活物。

它们是这么小。十几年前，当我还只有五岁，在老师的灼灼逼视下被迫与它们做游戏，也忍不住注意到——它们是如此之小。

那时候幼儿园里有个最高级的游戏室，屋子不大，但是个完整的社会，有银行医院商场警察局，真实的世界被潦草地模仿了，小心翼翼地把内核去除，剩下鲜亮温馨的外壳。这个高级的地方，我们一周只能进去一小时，每次进去都要脱鞋脱衣服，几乎要把全身都扒光，只穿内衣和秋裤。

不许说话。每个人进去之后，都安静而激烈地抢假人道具。所有假人都长得一样，光头红嘴唇，惊惧的大眼睛，肘关节泄露出白花花的棉花。我们只能依靠他们的衣着打扮来分辨他们的身份。

我因爱幼儿园班长而获罪，遭到他下令的集体抵制，总是抢不到任何假人，只能看着其他人和他们的假人忙碌地生活在一起。假的街道上来来往往地全是成双成对的，每个人牵着他们的模拟人，和它快乐大声地对话，给它边扎针边安慰："疼不疼啊？"给它铐上手铐百般行刑；跟它重复进行甜美有礼的对话："请问你要存多少钱呢？请问你要存多少钱呢？请问你要存多少钱呢？"

我抢不到人，只抢到了一堆道具。我无聊地坐在地上，给自己打针，给自己上手铐，玩弄着满地碎纸甜美地问自己："请问你要存多少钱呢？请问你要存多少钱呢？"

这个房间老师是不许进的，因为这一个小时是被划在"自由活动"里的。但这是个透明的房间，有一扇巨大的落地窗，所有来来往往的人都有意无意往里看。现在想起来，那应该是很奇怪的景象吧，一群人，却不像人——圆短只穿贴身的内衣裤，像一个个尚在分裂阶段的大细胞，和逼真的大假人无声却夸张地过生活。

我们也知道自己被看着，因此即使是不屑，也要表演兴趣盎然的样子。还好，这是所有孩子最熟练的戏码，一直演了两年，到幼儿园最后阶段，我们都已经长得巨大，还蜷藏着自己的四肢，微缩在这个比例失调的世界里。

这幅景象几乎是所有幼儿园生活的缩影。我们按规定游戏，按剧本表演，按配给活泼，按剂量快乐。因为在不远的地方，总有大人在观赏，也观察着。

把所有幼儿集中起来做游戏，似乎是幼儿教育法的巨大进步。这种做法，其实来源于近代对白痴和弱智的研究。

在此之前，对幼儿的教育都是家庭作坊式的，没有章法，"学前教育"也是一个劲地学。直到18世纪时，德国一个叫做福禄培尔的人出现了。

他很笨，笨到哀伤。他的爸爸教他阅读、书写、算术，却发现他什么也学不会。福禄培尔晚年在自传中申辩道："我的父亲因为事务太忙而没有时间来教我。"可实际上，是他的学习进度不得不让人怀疑他的心智，他的继母甚至很认真很认真地担心他的笨会影响到同父异母的弟弟。

福禄培尔的父亲本来对教育领域还有很大的野心和抱负，最后也不得不承认自己的失败，决定把福禄培尔送到学校。然而是送到乡下的女子学校。

那里是一个多么好的地方，安静有秩序，不涉及任何和知识有关的东西，即使稍微涉及智力，也是如此小心彬彬有礼——"这一周让我们全神贯注地照顾一棵草"；"请你烹饪出一块小圆饼，注意，要非常非常圆哦。"

福禄培尔在那里，一下子从智力上的矮子，跃居淑女界的巨人。

他晚年很害羞地承认说："这所学校非常适合像我这样的儿童。"他把他在女校接受的女德教育，结合近代对白痴的治疗研究，再加上对自己因为笨而受鄙视的自怜，开办了近代第一个幼儿园，一个现代幼儿园的模板。

在那里，他把真实社会全部抽离，而摆放着他称之为"恩物"的东西，包括一些立方体，一些小球，还有另外一些立方体。这就是幼儿教育的所有教材，这些无聊的东西隐藏着只有福禄培尔本人才能解释的深刻内涵——什么宇宙运动统一的神意，艺术和科学的分解的本质等。幼儿小童要了解艺术的创造力，不需要接受任何理论和讲述，不需要看任何艺术实品，只需要长久地凝望着一堆木头。

福禄培尔的幼儿园办得很成功，贵族们远远地看着他们的孩子跟在一颗球后面狂跑，心里宽慰地想："哦，他领悟到所有真谛。"

我则不信任任何模型式的教育，任何无危的东西同时也是无效的。无论幼儿园怎样去掉任何一点点和现实雷同的元素，真实的、原始的、成熟的、残酷的人性还是会浮现，在大人们移开他们视线的时候。

史铁生讲过他幼儿园时候的记忆。他的幼儿园的管理者是两个年迈无能的老太太，恩物是两匹木马，"下了课，所有人都一窝蜂去抢那两只木马，你推我操，没有谁能真正骑上去。大些的孩子于是发明出另一种游戏，'骑马打仗'，一个背上一个，冲呀杀呀喊声震天，人仰马翻者为败……这本来很好玩，可不知怎么一来，又有了惩罚战俘的规则。落马者仅被视为败军之将岂不太便宜了？所以还要被敲脑蹦儿，或者连人带马归敌方。这样就又有了叛徒，以及对叛徒的更为严厉的惩罚。叛徒一旦被捉回，就由两个人压着，倒背双手'游街示众'，一路被人揪头发、拧耳朵。天知道为什么这惩罚竟至比骑马打仗本身更具诱惑了，到后来，无需骑马打仗，直接就玩起这惩罚的游戏。

可谁是被惩罚者呢？便涌现出一两个头领，由他们说了算，他们说谁是叛徒谁就是叛徒，谁是叛徒谁当然就要受到惩罚。于是，人性，在那时就已暴露：为了免遭惩罚，大家纷纷去效忠那一两个头领，阿谀，谄媚，惟比成年人来得直率。可是！可是这游戏要玩下去总是得有被惩罚者呀。可怕的日子终于到了。可怕的日子就像增长着的年龄一样，必然来临。

做叛徒要比做俘虏可怕多了。俘虏尚可表现忠勇，希望未来，叛徒则是彻底无望，忽然间大家都把你抛弃了。五岁或者六岁，我已经见到了人间这一种最无助的处境。

这时你唯一的祈祷就是那两个老太太快来吧，快来结束这荒唐的游戏吧。但你终会发现，这惩罚并不随着她们的制止而结束，这惩罚扩散进所有的时间，扩散到所有孩子的脸上和心里。轻轻的然而是严酷的拒斥，像一种季风，细密无声从白昼吹入夜梦，无从逃脱，无处诉告，且不知其由来，直到它忽然转向，如同莫测的天气，莫测的命运，忽然放开你，调头去捉弄另一个孩子。

我不再想去幼儿园。我害怕早晨，盼望傍晚。我开始装病，开始想尽办法留在家里跟着奶奶，想出种种理由不去幼儿园。直到现在，我一看见那些哭喊着不要去幼儿园的孩子，心里就发抖，设想他们的幼儿园里也有那样可怕的游戏，响晴白日也觉得有鬼魅徘徊。"

如此欢乐之童年

我也害怕上幼儿园，不过是为着肤浅得多的原因。

幼儿园的时候，我们每天的晚饭都是猪肉白菜包子和稀饭，我那时候每次一听到饭点铃就手握小钢碗，万夫莫敌地冲到第一个，结果老师每次一瓢倒进我碗里的都是最上面一层略带乳白色的开水。

吃完了饭，我们就挨着墙整齐地坐一排等着家长来接。老师穿白大褂戴口罩，武装得像联合国维和部队一样拖地收碗，把一天的狼藉拾掇成从来没有人生活过的样子。她十分疲惫，再听到一声"老师老师……"就立刻会大力呕吐，因此命令我们背贴着墙壁坐好，不许说话不许动，最重要的是不许下地，踩脏刚擦干净的地板。

大概过了一个小时，我就想上厕所。如果这个时候，我的体内有个针孔摄像机，它能观察到的就是我端坐的身体内部的连续小爆炸，从膀胱开始爆破到心脏，最后以大脑的轰然一声结束。

我不敢说我想上厕所，只能静静地坐在那里，焦灼地期待着自我毁灭，一动不敢动，生怕惊动了膀胱。我的自我控制能力奇强，每次都能强撑到老师在门口叫道："蒋方舟，你妈妈来接你啦！"

我就跳下椅子，跌跌撞撞地冲出去，一边跑一边尿，一边百感交集地号啕大哭，沥沥拉拉地在我的椅子和幼儿园大门之间留下一道漫长的、泪尿相融的水渍。

日复一日每天如此，后来即使我晚上不喝稀饭干吞包子，也永远会准点听到膀胱爆破的倒计时，然后号啕大哭地尿着跑出去。

这样的感觉乔治·奥威尔在《如此欢乐之童年》中也描述过，他也是个频尿的小孩，每天晚上睡觉之前都含着泪向上帝虔诚地祈祷"请保佑我今晚不要尿床"。但第二天，他永远在又冷又湿的床单之间苏醒过来，根本没有机会掩藏自己做的事。他的绝望我感同身受，那种绝望，那种在做了这一切祈祷和决心以后仍旧不见效的委屈伤心情绪。

比我更不幸的是，在他的学校，尿床是要受到体罚的。他在一个尿床完毕的早上被殴打得连刑具短鞭都断了。他有气无力地抽噎着，却不是因为痛——"我之所以哭，是因为一种只有童年才有而不容易说清楚的更深的悲痛：一种凄凉的孤独无助的感觉，一种不仅给锁在一个充满敌意的世界中而且给锁在一个非常邪恶的世界中，而这个世界里的规则实际上是我所无法照办的。"

如果说幼儿园教育了我，那么它只深刻地教会了我一样生存本领，那就是自憎。

控制自憎情绪的是初级神经系统，原始人就有这个系统，那时候初级神经系统只有简单极端的二元划分结构：有利于繁衍的，不利于繁衍的。

我们现在看到原始人的画像，他们要么快乐得要死，要么痛苦得要死，情绪没有中间状态，那是因为他们大脑的判断机制还不完全，每件事情都被判断成和种族生存有关的大事。

很多很多年之后，人类学会了理智判断，也进化出更高级的脑组织来进行分析。然而，如果有一件事日复一日重复地让我们自我厌恶，理智会慢慢消失，我们又会回到原始人的大脑，遵从初级二元神经的判断——把一件小事都划为威胁个体存在和种族繁衍的重大危机。

于是，我们开始强迫性自憎，我们开始无意识地给自己撂狠话：“我是个白痴，我是个废物，赶紧天降土石把我活体掩埋了吧……”——基本上就是我靠墙坐着羞愧地与自己搏斗时说的那些话。

孩子用来强烈自增的大脑边缘系统，五岁的时候就已经发育成熟了。但是，用来苟且自己和开拓的中枢，到了二十多岁才长成。

在此之前，我们都生活在乔治·奥威尔由鞭打得到的教训中："我如今是在一个我不可能做个好孩子的世界里。我第一次清醒地认识到我被丢进去的环境是多么严酷。生活比我所想的更加可怕，而我自己也比我所想的更坏。"

2008 年 9 月—2012 年 12 月间

附记：

这篇文章的写作跨越了好几年。最初写，是想找一个合适的方式告别童年，告别天真与恐惧、幼稚与无畏，告别美好，也告别不快乐。

我曾经在一个小型的沙龙讲过其中"母亲"一章的内容。当我说到"没有一种母爱是合适的"时，一个女性听众愤怒地制止了我，她说："你怎么能这么说母亲呢？母爱多么伟大！你不知道她生你养你多么辛苦？"

我当然知道。我们提到母爱的时候总是用"伟大""无私"这样的词，提到童年总是用"无忧无虑""金色"这样的修饰，完全没有犹豫，没有过问过深埋的记忆。

我不想做一个歌颂遥远的月亮有多皎洁的人，而想看到它黯淡坑洼的一面，那是真实。我们抱怨孩子总是吵闹和哭泣，而当我们蹲下，和孩子同一个视线，看到的都是大人密密麻麻的腿，看不到路也看不到人的表情，这时候，我们才知道孩子们的恐惧从何而来。我想回到那个低的视线。

　　看到过一种说法，说当一个人产生羞耻感的时候，童年便结束，青春开始了。我想，一个人的羞耻感丧失的时候，他的青春便结束了，中年开始了吧。

代后记

写什么

看一位我非常敬重的文学前辈的采访，他说自己几乎半年没有写作，"每天都在混过去，写好的东西不想改，写了一半的东西不想回头看。突然写作失去了一切意义。"

写作到底有什么意义？

算下来，我写作竟然已经十七年了，其中最长的搁笔期，是高考前的三个月。其他日子里，几乎无一日不写作。每隔几年，我都会带着巨大的自我怀疑问自己：为什么要写作？

童年时候，写作是为了把自己和周围人区别开。所有人去同一所小学，读同样的课本，有同样的前途，我不愿如此，写作就成了改变自身命运的救命稻草。

青春期，写作是为了克服孤独感。过于依赖自己的与众不同、习惯旁观的姿态，让我对生活有种疏离的态度。从中学到大学，老师给我的评语永远是："无法融入集体。"越是格格不入，就越要依靠些什么来逃避孤立的痛苦，只有写作，能把寂寞变成一场理直气壮。

到如今，回答"为什么写作"这个问题，变得越来越艰难。

我发现，写作并不是为了更好的生活。相反，生活是它最大的敌人，生活的富足或贫瘠，都会让创作失去动力。生活过于平淡，让人没有写作热情；生活过于跌宕，则让人无暇平静地坐在书桌前。只有让生活服务于创作——而不是相反，才能让人长期恪守写作者的身份，一天天地写下去。

随着越写越多，写作带来的满足感，变得越来越小。近几年，我的兴趣从文学扩大至社会层面，大学四年，我几乎完全停滞了小说的写作，而转向写杂文。必须面对的是，"文章救国"的时代早就过去了，抒写社会现实，只会让人愈发无力，同时还要面对读者的挑剔："写这些我们已知的社会阴暗面有什么用？你应该多传播一些正能量。"

可是，抛开那些刻意寻来的心灵鸡汤，生活本来就是令人啼笑皆非的啊。

不久前，一个乡亲给我打来电话。他是我家乡的一个文化商人，在我读中学时请我吃过几次饭，电话的一半时间用来夸张溢美我是家乡几十年出一个的才女，另一半时间用来讲述自己如何为家乡献计献策。

时隔几年，他再给我打电话，却始终语焉不详，支支吾吾，只不停邀请我回老家看看。我不太耐烦，几次暗示自己没有时间长谈。

他这才叹了口气，说起他的遭遇。他翻遍地方志，刨根挖底地发觉某位国家领导人的祖辈曾在我们这个小地方生活过，他向政府提议修建一座祠堂，以便这位国家领导人以后来此地祭祖。

可以想象，这是他作为师爷一生最得意的作品：终于成功地和权力最高层有了挂钩和联系。他顺势向政府提出了自己酝酿多年的策划——本市的文化大发展、大繁荣。

政府点头赞许，画了一张大大的规划蓝图，这里一个标地，那里一个园区。看图，他傻眼了，自己一千两百平方米的大房子被画进规划范围，要遭遇强拆，每平方米给八百块钱的补偿。

电话里，他苦笑，说："拍马屁把自己给搭进去了。"

我听得难过，并不幸灾乐祸。严格意义上，他甚至不是一个为虎作伥的人，只是一个一心想与权力产生某种联系的普通人。

人们总是爱说"江山不幸诗家幸"，因为诗家们可以激昂地对于大恶大善、大是大非指点江山，可与之相比，我更喜欢大时代里小人物的苦涩故事，无常无望、无解无告。他们才是时代的组成部分。

至于如何去写，所谓公共写作，必然逃不开批判者的角色，我也写过战斗檄文式的文章，满纸愤怒，试图做到"力透纸背"的效果。几篇之后，我就放弃了，并不是出于胆怯，而是不习惯文章中自己那剑拔弩张的嘴脸。

我信奉福楼拜的话："我相信文学的艺术不会涉及个人的感情，我不想要爱，也不想要恨、怜悯或者愤怒，叙述的公众无私，将因此等同于法律的庄严。"

本书收录的，是我近几年摸索着写出的散文。完成即告别。出版的一刻，意味着我终于可以抛弃它。时至今日，仍然没有完全克服对于写作的厌倦的我，经常拿"识其时，行其运，知其命，守其位"这句话来激励自己，珍惜尚能自由写作的"时"，守着作为社会一分子的作家的"位"。

图书在版编目(CIP)数据

我承认我不曾历经沧桑 / 蒋方舟著.
—桂林：广西师范大学出版社，2013.10
ISBN 978-7-5495-4351-9

Ⅰ.①我… Ⅱ.①蒋… Ⅲ.①散文集 – 中国 – 当代
Ⅳ.①I267

中国版本图书馆CIP数据核字(2013)第212006号

广西师范大学出版社出版发行

桂林市中华路22号　邮政编码：541001
网址：www.bbtpress.com

出　版　人：何林夏
全国新华书店经销
发行热线：010-64284815
中煤涿州制图印刷厂北京分厂

开本：880mm×1230mm　1/32
印张：9　字数：150千字
2013年10月第1版　2013年11月第3次印刷
定价：32.00元

如发现印装质量问题，影响阅读，请与印刷厂联系调换。